集英社文庫

影　絵

宮尾登美子

集英社版

目次

卯（う）の花くたし……五
影絵……五七
夜汽車……一五九
連……一九五
解説　水上勉

卯の花くたし

東南をぐるりと取った一間の廻り廊下に、硝子戸越しの陽がいっぱいに充ちている時間、松之助はうしろ手をついて腹を干すようにして足を投げ出し、洗い髪の久子はその足の甲を長い髪で被うように跼んで爪を摘んでやっている。

眠そうに瞼を垂れていた松之助の視線が、首筋でふたつに割れて前へ流れている久子の髪から少し抜いた背の衣紋へ行って、

「お蝶、お前浴衣一枚か」

と驚いたように云うと、久子は顔を振ってゆっくりと髪を捌き、

「これでもまだ暑いくらい。ちょっとここ明けます。かまんやろ？」

と三寸ばかり硝子戸を引いたとき、さっと吹込んだ東風に髪を嬲られ、隠れていた耳が露わになった。

湯上りの久子の耳朶はほんのりと紅が増し、やわらかい冠貝の身を見るようにいつもは松之助の食欲を掻立てるのに、今日は何故か、掌のなかで揉みしだいているその耳朶の弾力のある感触と、擽ったそうに忍び笑いする久子の声を瞬間思い出しただけで、松之助はもの憂そうに瞼を庭の花木へ向けて了った。

松之助の機嫌のいい日は、この縁側に坐って膝の上に久子を乗せ、好きな人形弄り

をしているような楽しみ深い目付きになって飽きもせずいとしむのに、この頃ではふとこんなふうに、浴衣一枚の久子を見ても目さえ動かさない折がある。久子はそれを、陽気の加減、と別に気に留めてもいないが、それでも湯疲れの恢復に生卵くらいはどうかと考え、

「お父さん」

と呼んでそう勧めると、

「いや、それより暫く昼寝しよう。蒲団、持っといで」

と、陽で温もっている縁側へじかに手枕して横になった。

最近凝り始めた西式の健康法とやらで、松之助が直接板の間に昼寝するこの時間を、いつのまにか久子はこの頃待兼ねるようになっている。年寄りの眠りは浅くてほんの十分かそこらでもう目覚めて了う日もあるけれど、松之助が目を閉じている時間、久子は堅い帯を解いたあとのように何やら胸の辺りがのびのびと楽になる。最初の頃、これも奉公のひとつだと思い、寝ている松之助の枕許に身じろぎもせず坐って、弱い冬の蠅を追ったり顔に射す陽射しをハンカチを捧げ持って遮っていたり、久子なりに考えて勤めていたものだったのに、何時の間にかそれをやめて了ったのは、そうまでもせずとも相手は自分を好いていて呉れる事を見て取った、心の緩みと云うものかも知れなかった。

この頃ではその時間、久子は何もせず呆んやり坐っていたり、ときには鏡台の垂れを上げてじっと自分の顔を眺めていたりする事が多い。松之助の目はいつでも慈愛に充ちているようでいてそのくせ、裏にちらりと測り知れぬものを湛えている感じを以前から久子は持っているだけに、その目が自分に注がれていない時間は得難くいとしく、ひとり掌のなかでそっとあたためていたいと云うひそかな思いがある。

縁側に坐ったまま硝子戸の外へ目をやると、風に吹寄せられたか、沓脱石の上には桜の花の古蕊がこんもりとうず高くひとつに固まっているのが見える。この邸うちに花木は多くても桜はないし、隣も遠く、どう云うはずみで集まって来たものか、それにしても蕊を散らすくらいなら木はもう疾うに黒々と葉桜になっている筈で、この土佐で葉桜と云えば夏と同じ意味なのに眠っている松之助の衿もとはまだ浴衣に袷を重ねている。

「いつまで経っても土佐の気候に馴れん人」

と半ば唇を開いた放恣な寝顔に目を投げていて久子は、いいや気候ではなくてこれは年の違いか、とも思った。

松之助とのこんな暮らしは、久子の思いから云えばもうずい分と長いように感じられるものの、庭の花木の移り変わりで見ればまだほんの三月余り、初対面は去年の暮れの、芸妓娼妓紹介人須田徳三の店であったのを、今では遠い昔話のように思い出す。

あのとき、身売りする身の悲しさよりも、新しい奉公先への好奇心が僅かばかり勝っていた久子の目に、ひとつだけかっきり灼きついているのは火鉢の傍にどっしり坐っていたお金のありそうな鼻の大きい小父さん、と云う松之助の印象で、このとき一番下の弟を背負って久子を連れて行った母親も同じ思いだったのか、話が終って外へ出るなり、

「久子、あの親方さんは鼻が大きいきにお金もどっさりありそうやねえ。お前の前借りもうんと弾んで呉れるに違いないよ」

と真先に云ったのを久子は今もよく憶えている。

須田徳三と云うのは、こう云う稼業をもう三十年以上も高知の町でやっていて今では西日本一帯に名を売っているが、松之助などの大陸の楼主たちと取引が始まったのは昭和十二、三年頃からで、昭和十六年の現在はその最盛期にあった。

大陸は軍需景気に湧いていて、客の金取りも好ければ金遣いも荒いだけに、そこを狙って根の深い借金を抜こうと自ら住替えを望む妓や、同じ働くなら珍しい土地で、と若さに任せて名乗りを上げる妓などもおり、徳三の手で毎月かなりの数を送り込んではいるものの、それでもまだ、

〝アタマカズ　セイゲンナシ」ヨイコアツセンタノム〟

の電報はひっきりなしに入って来る。

そのうち楼主自らがこの土佐にまで妓を買付けにやって来始めたのは、ますます需要の増えた日中戦争勃発の翌年辺りからだったろうか。

徳三への世辞もあるかも知れないが、大陸の楼主たちのあいだの評判では、

「土佐の女が一番よく働く」

とあって、船、汽車を乗継いではるばるとこの四国の南までやって来るのを、徳三は内心、あれは商売半分保養半分の息抜きなのではあるまいかと考えたりしている。

徳三の最も頻繁な取引先は新京（現、長春）、次いで大連、上海などだが、その楼主たちは好景気をその儘見るような豪勢な装をしてやって来、高知の町の一流旅館に半月からときには二、三カ月も滞在する。滞在中、徳三の店に一日中坐って話し込む日もあれば、よい妓があると聞いてハイヤーを走らせる日もあり、また徳三の店に出入する者を供に連れて観光地を廻る日もあった。どの楼主も大陸住まいだけあってすべてにおおまかでゆったりとしており、帰郷の日までに妓の人数が揃おうと揃うまいと別に焦るふうもなく、堪能するまで土佐の風光を楽しんでゆく。

徳三が保養半分、と云うのは、もう幾度も妓を連れて行った関係でよく知っている大陸の生活と云うのは、冬も夏もまことに鬱陶しく、心も躰も萎縮して了うような感じがある。日本人経営の妓楼には日本人の客しか上げない故に、内地と同じ生活内容だとは云っても、窓の狭い建物の内部の暗さ、食べものの不味さ、見るものの少なさ、

それにちょっと郊外へ出れば治安もまだ万全とは云切れぬ不安もある。徳三など、大陸旅行のあと土佐へ戻れば、ようよう自分を取戻した感じがあって心からほっとするように、楼主たちはこの、一年中陽光に溢れ、新鮮な食物の安い、人情濃やかな土佐の地をひとたび踏んで鬱屈した大陸の垢を洗い落せば、以後はまるで憑かれたように土佐の地が好きになるであろう事は、徳三も容易に察しが出来る。その証拠に、今では年中何処かの楼主が必ず滞在しており、ときには、大陸の地元では忙しくて出来ぬ楼主同士の親睦会を、高知の料理屋で開いたりする事もあった。これらの楼主は、夫婦揃って店を明けられぬ為、大抵女将を残しての単独行だったから、こちらで金に飽かせて羽を伸ばそうと羽目を外そうと、徳三はずっと見知らぬ振りをしていてやるだけの弁えは持っている。

　楼主たちが長期間滞在すれば、仕事上は無論日常の暮らしの便宜まで計ってやるのもいつのまにか徳三の仕事の一部になっていて、相手によっては親兄弟以上の深い付合いに入ってゆく事もあった。関谷松之助もその中の一人で、松之助の持店の、新京五馬路で一番大きい「一力」と取引を始めた時期やきっかけは、古い営業日誌でも繰らない限りもう忘れて了っているが、長い念入りな付合いによって、後添いでやり手の松之助の連合いの事や、子のない淋しさや、女好きの松之助の癖など、向うの事情もすっかり呑込んでいれば、こちらも素人出で気の利かない女房玉江の至らなさなど

も悉く知って貰ってはいる。

それでいて、未だにふと松之助によく判らないところを感じるのは、どんなに打解けた席でも、松之助が決して過去を語ろうとしない要慎深さに加えて、初対面の際の何やら底知れぬ印象がいまもって徳三の念頭からさっぱりと拭い切れないせいなのであろう。

雪の深い新京郊外の五馬路の妓楼はどこも同じ二重窓の煉瓦作りで、部屋にはスチームが通っているのに内地と同じく長火鉢が置いてあり、松之助はその長火鉢の前に稲荷を祀ってある棚を背にして坐っていたが、徳三は一目見るなり、その異様に大きな鼻の頭に彫られている瘢痕に思わずどっきりし、これは正しく疱瘡の痕だと思った。

こう云う水商売をやっている人の過去はさまざまなもので、親譲りで引継いでいるものもあればもと警官、などと云う経歴も意外に多く、また根を洗えば一度や二度、刑務所の門をくぐった経験のあるものも珍しくない。遊楼の商いをするからにはさだめし放蕩の挙句、かと思えば、これが思いの他、自分自身は女嫌いに属する方の楼主もいたりして、この世界ばかりは一概に決められないところがある。明治十五年に生れた徳三の子供の頃には、よほどの流れ者でもない限り国内の人間はもう皆種痘を受けていて、身近に疱瘡患者を見る事は殆どなかっただけに、徳三にほぼ似ているらしい年の松之助の鼻の瘢痕は、国内の法の届かない場所で育ったらしい、と云う大まか

な推量も出来なくはない。満州（現、中国東北部）には今でも春になると天然痘が流行し、種痘を受けていない土地の人は見るも無慚な患いかたをすると聞いているだけに、この印象は一瞬、徳三の肝を冷やすような怖いものがあった。

今でこそ満州の中心都市は日本人に住みよく作り変えられているが、こうなる以前は獰猛な匪賊の跳梁跋扈する恐ろしい土地と聞いていて、そこへ乗込んでゆくのは余程の命知らずか食詰め者か、まともな人間は決して近寄らぬものとされているのであった。徳三も若い日には暴れ者で通り、博奕打ちで鳴らした過去があるだけに、取引相手の素姓を詮索する気は少しもないが、早くから満州へ渡って苦労の挙句今日のこの「一力」を築いたであろうと云う臆測は、それだけで言葉にはならぬ威圧を感じる。徳三のその臆測を助けているものにもうひとつ、松之助の重く垂れた瞼があり、ややけだるそうに視線を移してこちらをじっと瞠められれば何やら譬えようもない不気味なものが冷たく肌に触れて来る。

が、こう云う印象とは別に、話してみれば如何にも大楼の主らしく鷹揚で気前よく、徳三には近付きのしるしにと初対面から早速らっこの防寒帽と内側に貂の毛皮を張った外套を呉れ、五十人を越す抱え妓の中から土佐出身者とも引会わしたりして手厚いもてなしであった。以後徳三は今日まで数々の高価な品を松之助から貰い、数え切れぬ程贅沢な遊びに誘って貰ったが、この人が大声挙げてふざけている姿を見た事がな

いだけでなく、たまに上機嫌のとき金歯の多い口を開けて声もなく笑うだけで、あの垂れた瞼がかっと開いた顔に接した事もなければ、仮にも過去を匂わせるような言葉ひとつ聞いた事もなかった。それでいて取引の話ともなれば相手のうん、にこちらもはっ、と悟るだけの仲には出来上っており、今も矢張り底に一点微かに残る、

「このお人には得体の知れぬところがある」

感じを、徳三はつとめて気にせぬよう心掛けている。

松之助が土佐へ初めてやって来たとき、徳三は自分の持船に乗せて連日釣に連れてゆき、獲れ立てを船上で料理して供したり、地曳網の浜に案内してしらすの踊り食いを味わって貰ったり、満州では持つ事の出来ぬ楽しみを披露したが、そのせいもあってかぞっこん惚込んで了い、

「須田さん、儂はもうこれから毎年、土佐で冬を過ごさせて貰う事にしましょう」

と云い、就いては旅館住まいは味気ない故、適当な土地を選んで家を建てておきたいと云う。

松之助は前から大連の星ケ浦に別荘を一軒持っており、商売にも片掛けてよく往来しているが、土佐は内地でも不便な四国の果てで、特急亜細亜号に乗れば僅か八時間、と云う新京―大連間の距離とは違う。きつい陸路でたっぷり二泊三日、船路を取れば三泊四日と云う、まさかの場合でも到底間に合わぬ土地であって、こう云う所へ家を

建てるのは捨て銭するのも同じ事、どうせ気紛れ、と徳三が考えているうち松之助の方はどんどん急いで、やがて新京から達筆の手で、

「一件、取急ぎ御願い申し上度。就いては貴殿口座に妓供立て金代として順次振込み送金致しますに付、取敢ず土地二百坪ほど入手御願申し上げます。尚、此の件憚りあるに付御内密の程を」

との封書が届き、その文面通り徳三の銀行口座には千円、二千円、と多額の金が入って来るようになった。

楼主たちのあいだに信用の厚い徳三には、何時でも妓の手打ち金として使えるように、と銀行の当座預金に常時金を預けられているが、松之助の場合、きついと評判の女将の目をくらます為、そう云う口実を使ったものであろう。徳三は松之助が本気なのを知ると人を使って土地を捜させ、松之助の云う、

「鏡川か、浦戸湾の水に面した静かな場所」

には少々遠くても、潮江の閑静な畑地のなかに程々のものを見つけると、すぐさま、

〝ゴ　チユウモンノコ」ミズ　ニトオケレド　ジ　ヨウダ　マアリ」スヘンマツ〟

と新京向け電報を打ち、折返し、

〝ゴ　クロウカンシヤ」バ　ンジ　オマカセス〟

の返電を受取ると、金銭の支払いから登記手続まで一切自分の手で賄った。

昭和十五年の正月、家の設計打合せの為にまた土佐へやって来た松之助は、すっかりこの場所が気に入り、

「須田さん、ミズニトオケレドはよかったね。うちの内儀さん『お父さんこれどう云う意味です？』としきりに訊いていたから、儂はつまりその、みずみずしい色気に欠けると云う事じゃろう、お前みたいな女の意味だと云ってやりましたよ」

と例の金歯を見せて笑っていたが、新京の店をすっかり切廻しているかに見える女将には内緒で、これだけの大金を動かせる松之助の腕を、徳三は矢張り満州育ちだけの事はあると思った。

大工の棟梁と相談して松之助が引かせた家の図面は、垂込めた満州生活の暗さをすべて取払った明るく開放的なもので、建坪はそう広くないものの如何にも土佐の風土に合った、住み心地の良さそうな家に見えた。松之助が満州に帰ったあと、普請現場は徳三の家から恰度よい散歩距離にあるところから、徳三はたびたび見廻りにも出掛け、とくに頼まれていた植木は庭師と連れ立って見立てに行ったりした。大陸の花は春一度に全部咲揃ってはすぐ散って了うので、松之助は四季の切れ目なしに花を楽しみたかったものでもあろうか、桜は新京に多い故わざと避け、先ず梅から始まって椿、桃のあとは五月躑躅、紫陽花、夾竹桃、百日紅、秋には木犀、楓から南天、千両まで、広い庭に隙間なく植込んだ上、周囲の垣は卯の花で囲うという有様になった。いくら

屋敷が立派でも庭に松の木のない家は品に欠けるとよく云われるが、この家は騒がしい花木ばかりかこれも決して品がいいとは思えぬ卯の花の垣根を見て徳三は、楼主のなかでは読書きも達者、物識りの部類に入る松之助の、これは案外な正体かも知れぬと思った。

工事は順調に捗って、その年の暮れに松之助がやって来たときはもう出来上っており、それに適当な家具を入れ徳三に手伝いの婆さんを頼んで、もうこの冬から松之助は早速ここに住むと云う。就いては一旦新京へ引返して越冬のあいだの仕事を片付けて来る故、大急ぎで妓の五、六人でも見つけて欲しい、と徳三は急がされ、日頃使っている下使いの者の尻を叩くようにして八方情報集めに掛かった。

楼主たちが土佐を引揚げるときには、いつも妓の二、三人から多いときで七、八人は雇って帰るのが普通だが、それは長い滞在のあいだに徐々に集まって来る情報を得て、遊びがてら顔見せもし、芸のある妓は手見せもして貰ってゆっくりと話を決め、やがて打連れ立って発ってゆくと云う段取りとなっている。徳三の稼業と云うのは、もうずっと以前から、買手よりも売手捜しのほうに力を取られるようになっており、それを徳三は常時使っている三人の男の他に、町のなかの地獄耳と云われる人達にも始終頼んであって、話が成立すれば若干の礼金を包む事にしてあった。地獄耳は、仕立屋とか大工とかの本職を持っている場合もあればぶらぶらの遊び人もあり、親出の

久子の話も、この橋渡しをしたのは久子の家と同じ町内に住む風呂屋の主人と云う、先ず先ず信用出来る相手だったせいもあって序(ついで)に連絡も頼み、徳三の店で松之助に顔見せする手筈になった。

五馬路の「一力」の店は、他の妓楼と同じように貸座敷業と料理屋を兼ねていて、従って芸なしの娼妓もいれば芸妓には皆二枚鑑札を取らせて躰の稼ぎもさせていたから、松之助の欲しい妓はいずれでもよく、また急いでいる故器量は云わぬ、性質が素直でさえあれば八分目でも手を打とう、と云うのは、女将の手前素手で帰れぬ松之助の気持でもあったろう。

徳三は、綿のはみ出たねんねこで子を負うた母親に付添われ、初めて店へやって来た久子を一目見るなり、これはどもならぬ、と内心がっかりした。

如何にも借着らしい裄丈(ゆきたけ)の合わぬ羽織は差引いて見てやるとしても、埃に塗(まみ)れたような赤いお下げ髪や、冬だと云うのに裏表判らぬほど灼けた肌や、首も肩も全体にかぼそくてこれでは病いと隣合わせに坐っているような心許なさに見え、到底売物としての値打ちはつかぬと思っている。風呂屋の主人を通じての話によれば、芸妓でも娼妓でも何でもよい、躰を預ける故に金は千円欲しいと親は云い、本人も承知の上と云う事だったが、この世界の仕きたりでは、親に千円の金を耳を揃えて渡すとなると、勤め先までの旅費、当座の小遣い、各種の証書作成料、紹介手数料も上乗せする事に

なり、前借りはどうしても千五百円近い額になる。女の身代金はまことにさまざまなもので、相場はあってないようなもの、なくてあるようなもの、とすれば、芸と器量と愛嬌の三拍子揃った上玉で八千円と云う破格なものから、まだ小学校在学中に売買いされる仕込みっ子で僅かに二百円と云う値さえある。目の前の久子は小学校は出ているものの、数え年十五と云う半端な年が引掛かり、これでは今から芸を仕込んで芸妓にするには少々遅すぎ、さりとていきなり娼妓に出すのは、満十五歳未満の接客は条例で固く禁じられている。こう云うとき、普通は芸妓仕込みとして長い年季で契約しておいて引取り、実際に稽古もさせるうち年が足りれば客も取らせるが、しかしこれは妓の見込み買いと云う訳になり、楼主たちは余り歓迎しない例であった。

それも、まだ子供のうちから人の目を惹くほどの器量ともなれば、徳三の昔の経験に未成年で二千円、八年年季と云う例もあるものの、この久子の、むっつりした口もとや、俯いて下から人を睨み上げるように見るぎろりとした目付きは、どう贔屓目に見ても客受けのする顔とは云えず、松之助にうんと気張って貰ったところで長い年季で立て金はせいぜい千円まで、親渡しの金は六、七百円がいいところ、と徳三は心のうちで踏んでいる。店での顔見せは、母娘がおどおどしていたのと久子が思ったほど上玉でなかったのとで話はあまり弾まず、徳三は親出の子供にいつも云うように、

「一先ず家へ帰っておりなさい。後から使いを出すきに」

と首尾を預かり、二人に引取って貰った。

そのあと、松之助に何か済まぬような面持ちでいる徳三に向かって、松之助は案外な声で、

「須田さん儂一寸考えがある。あの子、新京へ連れて行かずに、こちらで暫く手許に置く事にして云い値通りで引取る事にしましょう」

の言葉に徳三は驚き、思わず松之助の顔を見たところ、その目のいろはからりと晴れていて、

「潮江に家も出来上った事だし」

と云い、それを聞いて徳三は、いつに似合わぬ自分の勘の鈍さに胸のうちでひそかにため息をついた。

松之助の年恰好は六十前後か、頭は徳三のようなそうめん被きを嫌って短く坊主刈りに摘詰めているものの、ぐっと伸びた上背は未だにしゃんとしていて、しかも商売柄夜更しに滅法強く、徳三に夜釣をせがんだ翌日でも欠伸のひとつせず、じっと店に坐って長閑な話に付合ったりする。こう云う元気なひとが長い冬のあいだ、あの新築の別荘で閨ひろびろと一人過ごせる筈もない事を気付かなんだ、と徳三は悔い、多分いままでの滞在のように、住替え希望の妓供などを見がてら出向いた先で、然るべく遊んで来るであろうくらいに考えていた迂闊さが思われる。

それにしても、この二、三日立続けに顔見せした妓のなかには久子よりずっとましなのもいた筈なのに、何でまた選りに選って、と不審も湧き、その不審をその日同席していた女房の玉江の前でつい口にすると、

「さあそれは……関谷さんは久ちゃんを飯炊き女の代わりに使うつもりやないですか。若(も)しそうなら、いま口を掛けてあるあの手伝いの小母さんは要らんと云う事になりますねえ」

と、これも素人(しろうと)出で、玄人(くろうと)の肚(はら)など読めぬ玉江は簡単にそう思い込んでいるらしかった。

成程それもそうかも知れぬ、がしかし、女中奉公とすればいま徳三の家にいる女中など、雇うに就いて別に仕度金も要らなければ、仕着せの約束もなしに月々五円の手当てでずっと居ついている。久子が折々は松之助の夜の伽(とぎ)を頼まれたとしても、この先女中奉公程度の働きで大きい前借りを払って了うにはいったい幾年かかるか、商売には底が入っている松之助にそれが読めぬ筈はないと思えるのに、そう云う話は一切せず、その上、

「これは闇取引と云う事にして頂きますよ。公正証書なしで、借金証文だけ取っておいて下さい」

と頼まれ、徳三は自分なりに、ま、これで久子も親孝行が出来よう、と了簡して、

すべての書類手続を省き親許へ千円、紹介者の風呂屋の主人に礼金の三十円を渡してやった。

久子の家はごみごみした下町の、この風呂屋の脇の路次の奥で昔から父親が下駄の台を挽いており、久子を頭に二年置き、二年置きに子を生み続けている母親は、その子を負うて鏡川へ雀貝（蜆）掘りに行ってはずっと暮らしを助けている。父親は酒好きと云うだけの、格別の取柄もないおとなしい人だが、母親は雀貝の売捌きかたが巧妙すぎる、と同じ貝掘り仲間から嫉まれているほど多少の才覚もある女で、小学校を出たばかりの久子を食堂の下働きに出したのも母親の知恵なら、その給料が安い故に連戻し、折から妊娠中の自分に代わって雀貝掘りをさせていたのも母親の指図だと云う。この家に千円もの大金が必要になったのは、未だに小さなモーターの鋸を使って、一足ずつ一足ずつ手作りしている下駄の台の生産数が極めて低いと云う理由もあるものの、母親の口の巧さが却って仇となり、その口で米屋から味噌醤油、雑貨屋にまでちょいちょい借りしていたものがいつの間にか山のように積もって了い、そこで高利の金貸しに泣きついたのが間違いのもと、と自分も風呂賃をごっそり借りられている紹介者の主から徳三は聞いている。

徳三が金を持って行ったとき、坐る場所もない程下駄の台を干してある家の中から、子に乳を含ませながら横抱きにして出て来たのは母親で、奥に蹲っているらしい父

親を振返りもせず一人で引受けて口を叩いていたが、徳三が当分久子は潮江の松之助宅に奉公するようになった旨話すと、流石(さすが)に飛立つように喜び、

「そんならあの子は、遠い満州まで行かいでもようなったがですか。さいさい逢いに行ても構んがですか」

その上お金まで貰うて、ほんまにありがと御座います、ありがと御座います、と子を抱いた儘(まま)片方の乳をぶらぶらさせながら礼を云うのを見て、徳三はこんなに張った乳ならまだまだ子が出来る、久子も一生この親の為に身を粉(こ)にして働かねばなるまい、などと思ったりした。

松之助のこのときの滞在は、暮れの事とてほんの一週間余りで調達した芸妓二人を連れて帰って行ったが、その引上げ間際に玉江とちょっとした行違いがあった。

正月明けには早々にまたやって来、愈々(いよいよ)こちらの家で越冬する事に決めている松之助は、留守中のこまごました雑用を徳三に改めて頼んでいるうち、手伝いの婆さんがまだ決まっていないのを一寸(ちょっと)咎める口調で、

「あれはどうなりました？」

と玉江に訊(き)いた。

徳三との話で早呑込みしていた玉江は吃驚(びっくり)したように目を見張って、

「あら？ 世帯は久ちゃんにさせると云うお話やなかったですか。私はもう、そうと

ばっかり思うて頼んであった小母さんを昨日断ったところですが」

と云うと、松之助は垂れた瞼の奥の目でじっと玉江を瞠め、しっかり云聞かせる口調で、

「あの子には水仕事はさせません。儂には儂の使いようがありますから」

と少々きつい響きであった。

徳三はこのとき、単に手伝い女一人くらいの事にこれほど開き直った云いかたをするのは、松之助は商売気離れて何か久子に打込んでいるものがあるに違いなく、まさかあの不器量な小娘に迷ったのでもあるまいが、と思ったが、それを疑えばこれまでにも時折感じた松之助の得体の知れなさがまた頭を擡げて来る。

手伝いの取決めを急ぐのは、あの家の三方の殆どに嵌めてある沢山の硝子戸を、始終拭いていなければ気分良く住めないと云う理由もひとつにはある訳で、時節柄資材の少なくなっているにも拘らず、金にもの云わせてこれだけ揃えた一枚硝子の戸と、総檜作りの風呂場は松之助の一の自慢となっている。松之助が留守であろうとなかろうと、手入れは怠らせないように、と玉江は云われ、まだ首を傾げながら半分徳三の顔を見い見い、

「そんなら早速話を戻して、明日の晩からでも留守番がてら泊まり込んで貰うようにしましょう」

と頷いている。

久子に就いては、松之助の留守中潮江の家へすぐ越していても親許にいても本人任せでよろしいが、退屈凌ぎに三味線でも習わせてはどうでしょう？　と、これは久子の身仕度その他に必要な金は使って欲しいと徳三への依頼であった。

こうして万端調えて引上げた松之助は明けて七日正月の夕方にはもうこちらへ引返して来て、その夜から久子と二人、手伝いのお仙婆さんも入れて新しい家で暮らし始めた。土佐でも冬は雪も霙も降る事はあるが、

「何と云っても陽射しが濃い。強い。躰中に力が漲って来る」

と云って松之助は喜び、晴れている限り久子を連れて鏡川べりを散歩したり、ときにはまるで温室のような広縁で一日を過ごす。

短い期間、食堂の皿運びと云う経験はあっても奉公の意味もまだ知らぬ久子に、家を出しな母親は、

「何事も旦那さんの云う通りするぞね。ええかね。気に入って貰えるよう一所懸命勤めんといかん」

と云い、松之助からもまた、

「お前は儂の云う通りにしてさえいればそれでいいんだよ。云わない事までする必要はない」

と聞いて久子は、二人が同じ事を云うからにはそれが一番大切な事に違いあるまいが、主人の云付け通りする事くらい、簡単や、と心のうちで思った。

小さい頃から、長女にかかる厄のひとつとでも云うか、母親の貧乏話は嫌と云うほど聞かされていて、ときには金も持たされずに、

「角の米屋へ行て、何とか一升借りて来てや。子供でもそれくらいの使いが出来なくてどうする」

と追立てられた困りようを思えば、この〝お金のありそうな鼻の大きい小父さん〟は、そんな無理難題は云う筈もない、と云う安心感が最初からあった。

その小父さんからの心遣いと云う新しい着物を着、新しい下駄を穿き、徳三に連れられて初めて潮江の家に行ったとき、

「まあ、天皇陛下さまの御殿のような」

と久子は驚き、自分がこれから此処の人となるのだと聞いて、夢でも見ているのではあるまいか、と幾度も目をこすった。

夢ではないか、と云う久子の思いはその後松之助と暮らし始めてのちもずっと続いており、ほんとうに見る夜半の夢のなかでは、突然一切が消えて了う事がある。小さな弟をおぶって雀貝掘りをしているもとの自分になって了う事がある。素足の儘鏡川の浅瀬に入り、小さな箕(み)で前後左右の砂を掬(すく)い上げては貝だけ採って腰の籠に入れる作業を

続けていると、砂を掬った川底の濁りが落着いたところで、白くととけ切った自分の足の指が透けて見えて来る。

「足が冷たい、足が冷たい」

と呟いて躰を丸めているうち、いつとはなしふうーっと醒めてみれば、そこは吹曝しの鏡川の川床ではなく、ほっかりと厚い絹夜具二枚重ねの床のなかなのであった。

ここではあの風呂屋の路次奥の家のような、行昏れた思いなど少しもなく、一日の時間がまことになだらかに、真綿で包まれているように柔らかい手応えで過ぎて行くように久子は思った。飢じさの余り、寄ると触ると喧嘩する小さい弟妹の泣き声もなく、米代の工面に苛立つ母親の甲高い言葉も聞えず、透通って塵一つ止めぬ硝子戸越しに明るい陽射しは家中に充ちわたり、これと云った働きをせずとも三度の膳は山のような御馳走を盛ってちゃんとお仙婆さんが目の前に運んで来て呉れる。暮らしむきの事など何も考えないでいて満腹し、雨漏りもしない上等の家に住めるなんて、これが若し夢ならばなるべく長く醒めないでいて欲しいと久子は思うかたわら、いやいやひょっとするとあの路次奥の家での暮らしが悪い夢だったかも知れぬ、と酒にでも酔ったような呆んやりした気分になる事もあった。

どっちが夢でどっちがほんまか、と云う久子の胸のたゆたいが薄れたのはどれくらい経ってからだったろうか。

たぶん、鼻の大きい小父さんが見かけほど怖い人でなく、自分をしんから可愛がってくれている事が少しずつ判って来始めた頃で、それは同時に、久子が自分でも目に見えるくらい変わって来ている事にも深く関わって来る。

この家で松之助と初めての朝、

「おいで。髪を梳いてあげよう」

と呼ばれ、久子が躰を固くして縁側に坐ると、松之助は三つ組に編んで腰まで垂らしている久子の髪を柔らかい指先でゆっくり解きほぐし、黄楊の櫛で梳下ろし梳下ろししながら、

「ほうら、いい髪だ。絹糸よりももっとつやがあってもっと細い、第一級の生糸そのままだ。赤毛だけれど枝毛じゃない。女はどんな事があっても肌と髪の手入れだけは、怠っては不可ないよ」

とさもいとしそうに長い時間かかって櫛と交互に掌でも撫でつけてくれた。

久子は子供の頃から自分の赤毛をとても恥ずかしく考えていたし、喧嘩相手の男の子から、

「赤熊!」

などと戯われると思わず涙ぐむほど口惜しく思っていただけに、最初の朝のこの松之助の一言でずい分と気が楽になった。

いま思えば、真先に赤毛を褒めてくれたこの言葉で、久子はどれだけ素直に松之助に対する要慎を解いた事だったか、若し逆に強く貶されていたとしたら、久子は未だに上目遣いに人を窺うあのいじけた表情を捨切れないでいたかも知れなかった。

のちに打解けて何でも話せるようになったとき、久子は甘えて、

「うちのこの髪の毛を好いてくれるのは、お父さんだけや」

と云うと、松之助はふふん、ふふん、と含み笑いをしながら、

「誰がお前、女の髪の毛だけを好くような間抜けな男がいる。昔から云うじゃないか。赤毛の女は色白で肌理がこまかいとね。

それにお前は骨細だ。こう云うのは痩せてよし肥ってよし。こいつは磨き甲斐があると思ったからなのさ」

と面白そうに腹を揺すって笑ったが、久子はそのときになってやっと〝儂の云う通りにしてさえいればいい〟と云う言葉の意味が少しばかり判ったように思った。

年中母親に追使われて鏡のひとつ覗く暇もなく、第一家の中に化粧品の匂いさえなかった久子に、松之助は先ず上等の桑の鏡台を買って与え、

「これからは儂の手でお前を綺麗に仕上げてあげるよ」

と云って聞かせたとき、久子はまだ〝磨く〟と云う言葉の意味が皆目呑込めなかった。

それが少しずつ判り始めて来たのは風呂の伽を云いつけられてからで、風呂好きの松之助はお仙婆さんに云って朝からたてさせ、久子を呼んで、その躰を隅々まで手間ひまかけて念入りに洗い上げる。磨きの道具に石鹼は固く使わず、目の詰んだキャラコの袋に鶯の糞と米糠を混ぜたものを入れ、それをときどき湯で湿らせながら、袋の中身を肌に練込むように丹念に洗ってゆく。風呂上りには裸の久子をあっち向かせこっち向かせ、ヘチマの水をふんだんに叩き込んでは飽きもせずそれを毎日繰返す。

松之助に云わせると、女の躰でも太腿と腕の付け根ばかりは、いくら磨いても数の子肌のまま残っているものが多いが、

「お前はほら、何処も彼もこんなにすべすべになって」

と大事な宝物でも改めるように沁々(しみじみ)と見入るときがあった。

久子は最初恥ずかしさで殆ど身動き出来ず、湯槽の縁に嚙りついてじっと俯いた儘だったのに、ほどなく馴れて、ときには自分から腕を預けたりするようになったのは、あの気長い磨きの作業の効果がまことに顕著に自分の躰に見えて来たせいもあり、それに、松之助がしんからその作業を楽しんでいる事が判って来たせいもあった。新京の店では沢山の抱え妓に取巻かれ、帳場では大勢の男衆女衆に用達して貰って、日常恐らく箸より重いものを持つ事もあるまい大楼の主が、指先を湯にほとびさせながら熱心に退屈な糠袋使いをしている図は、まだ玄人の世界を全く知らない久子でも、奉

公人の身なら何だか相済まぬような思いも湧いて来る。それは〝何事もお父さんの云付け通り〟と云う建前を通り越して、いまでは躰をすっかり預けて了った女の心のほどけかたと云うものかも知れなかった。

そのひとつには、久子の太腿の内側の付け根に拇指の爪ほどの青い痣があり、膝を閉じていれば丸いかたち、開けば二つに割れて蝶の羽のように見えるのを松之助が見つけ、

「これからはお前をお蝶と呼ぼう。儂の店の妓は皆源氏名を持っているし、お蝶は久子より女らしくていいからね」

と決めたのも久子は松之助とのあいだが一足縮まったように思ったし、さらに云えば、松之助が久子を寝床に呼びたいとき、

「さあ、蝶々を飛ばそう」

と云う言葉で誘うのも、二人だけの秘密を持った心のときめきがあった。

檜の香のつんと立つ白い湯殿で、大きな躰の松之助はじっと目を閉じている久子を抱え込むようにして糠袋を使いながら、いつも独り言のように低い声でその耳に囁きかける。

「お蝶のこの目は一重瞼だが、これは人形の目のように魂のないのよりは色気があっていい。お蝶のこの鼻はそう高くないが、却って愛嬌だ。口もとは、この鬼歯が可愛

く見えるから人前では笑うなよ」

「お蝶のこのか細い衿足がまたいいね。一捻り(ひとひね)すればすぐ息絶えるようなところがあって、そそられるよ」

と云えば久子は身を起して、

「お父さん、そんならうち軍鶏(しゃも)と同じやないの」

と詰り(なじ)ながら、冷えた松之助の背中へ湯を掛けてやるだけの心遣いは、自然に久子にも生れて来ているのであった。

久子は今まで自分の育ちを不幸だと沁々嘆いた事はないが、松之助との暮らしを始めてみると、何と寒々とした日々だったろう、と思える事がある。二タ親とも血は分けていても、子供が六人もいればその口を飼うのに日々血眼で、松之助のように久子を両手で包み込むようにしていとしがってくれた事もなければ、第一、愚痴と用事の他は、ゆったりした話さえ聞かして貰えなかったような気がする。親ばかりでなく、弟妹も皆、この貧乏のなかで自分だけ損をしないよう、互いに見張合いをしていたような気がするし、それは飯刻(めしどき)の騒ぎに一番露わであった。あれで、他の暮らしを知らずに過ごしていたなら格別の不満もなかっただろうに、こう云うぬくぬくとした座に坐ったが為に、久子にはときどき、昔を憎む思いも過る(よぎ)。

いま松之助は、

「お蝶、女の肌は外から磨くだけではいけない。旨いものも存分に食って、内から養わない事には光沢が出ない。さあ、好きなものをどっさりお食べ」

と云い、お仙婆さんに命じて三度の膳はさまざま美味を調えて呉れる。最初、好きなものは？　と訊かれ、嘘でなく「何にもありません」と答えて笑われた久子は、土佐の料理を楽しむ松之助に蹤いて舌を馴らしているうち、今ではひとかどの味覚も出来て好き嫌いの区別もつくようになった。また食べ物ばかりでなく、

「手が荒れる故、炊事洗濯掃除一切いけない」

と云う禁止は、久子にとって松之助が如何に自分を大切に扱って呉れているかが判り、しみじみ身の幸運を思うときもある。

久子はいつも長い風呂から上ると、鏡台を明るい縁側に持出し、じっとそのなかを覗き込む。

つい先頃まで川風に嬲られていた真黒な顔は、鏡を覗くたび一枚一枚皮を剥ぐように薄らいで来て、自分でも騙されているような色白の瓜実顔がそこにあった。それが、松之助の丹精によって作りあげられたものか、それとももともと美しい生れだったかの詮索は今はもうどうでも良く、その顔はこれまで知らなかった倖せに張充ちて輝いているように見え、久子はそれが自分自身である事を確かめるように、両手でぴしゃぴしゃと両頬をわざと邪慳に叩いてみたりする。また角度によっては、いまを盛りの

庭の山茶花が鏡いっぱい映るときがあり、その白い花に囲まれて競い合う顔を、うっとりといつまでも瞠めている事もあった。

こう云う倖せと引替えなら、風呂ばかりでなく、寝床のなかで松之助の云う事を聞くくらい何でもない、と久子は考える。むしろそれは遠い子供の時分、親に隠れて近所の男の子とこっそり娯しんだ遊びにも似て心が高く掻立てられ、それがここでは、相手が手馴れた松之助だけに躰を預ける不安な思いは少しもなかった。昼間ふと、久子では窺えぬよそよそしい表情をする事もある松之助が、夜寝床のなかでは、久子の蝶の痣に手を触れながらとろんと目尻を垂れ、思い掛けぬ品の悪さで金歯いっぱいに笑っているのを見ると、これがお父さん一番の好き事なら、自分が否やの云える筈はない、と久子は思っている。灯りを点けた儘寝床に入るのが好きな松之助の腕のなかで、腋の下や脇腹や内腿などの凹みに、黝ずんだ隈とてない骨細の久子の躰は白くつややかに、まるで軟体動物のように美しく撓う。ときどき久子は、全身をすべる松之助の指先に、太陽で温まった夏の浜の砂に塗れているような錯覚を持つ事があって、思うさまふざけたい衝動に駆られ、髪を乱し喉頭をのけぞらせて笑ったりする。それが松之助への務めだけではなく、だんだんとすすんで、酔痴れたい思いになってゆくこの頃の変化を、自分からふっと呆れたように感じる折もあった。

炊事洗濯掃除を止められている久子が、昼間義務づけられている第一の仕事は、起

抜けに先ず、近所の百姓に頼んである寒卵を割って松之助に勧める事で、まだ寝乱れ姿のまま久子がそれを運んで来ると、松之助も寝床の上で、黄身の盛上った生み立てを二つ、ぐうーっと呑込む。

徳三が驚くほど松之助の躰が若いとは云っても、年相応の要慎と努力はしていて、西式健康法に凝りだしたのも久子と暮らし始めてからだし、生卵と、それから朝鮮人参の服用も最近になってからであった。湿気の多い土佐には昔から一般にあまり喫茶の習慣がなく、客のもてなしに男同士なら酒、女子供ならミカン水ラムネの類を出したりするが、空気の乾燥した大陸からやって来た客たちはよくそれを指摘してはぼやく。徳三の家でも玉江が客からの、

「お内儀さんお茶、お代わり」

の催促に立ったり坐ったり忙しい目に逢っていたのを、松之助の場合は久子がいま肩代わりし、茶に代わって朝鮮人参のエキスを湯で溶いては、頃合いを見計らって一日中幾度となく運んでゆく。

久子が松之助の癖を早速呑込み、先に廻ってまめまめしく仕えれば松之助の「お蝶、お蝶」もますます深くなり、散歩がてら呉服屋小間物屋へは頻繁に出掛けて、久子の簞笥(たんす)の中身も次第に増えて来る。久子のほうでも、あの重い瞼の奥の目は少しも気にならなくなり、何を話しても「よし、よし」と聞届けて呉れる懐の広い松之助に、心

から親身な情を寄せているのであった。一月末から二月と云えば土佐も極寒だと云うのに、長風呂、美味に火照った躰を醒ましに夜更けの戸外へ出ようと久子が誘えば、寒さに強い松之助は羅紗のインバネスを羽織って気軽に応じてもくれる。

鏡川の橋桁に凭れて久子が川下から順に、

「あれが九反田橋、これが雑喉場橋、向うが潮江橋、その上が天神橋、沈下橋、新月橋、雁切橋、鏡川橋」

と知っているだけ教え、

「さあお父さん、云うて」

とせがめば、松之助はふんふんと笑いながら云われた通り橋の名をなぞるのを、久子は、

「違いました。天神橋の次は鏡川橋じゃのうて沈下橋」

と訂正し、面白そうに笑う。

暗い川下からは誰かが網を打つひそやかな音なども聞え、久子はその音につい誘われて、雀貝を掘っていた頃の事を思い出してはあの辺り、と川面を指差して自分から松之助に話すときもあった。雀貝は、川水と潮水の混り合った場所のものが一番美味だと云われる故に、夜明け前の干潮どきの、足場のよい中洲は早く行かなければ奪合いっこになる。この頃は舟で乗込んで来て大仕掛けに取る人も現れ、また青海苔採り

も混るために結構川も賑わっている話などして、

「水が温んだら、うちいっぺんここへ掘りに来て選りぬきの美味しい雀貝、お父さんに食べさせてあげる」

と久子が云えば、松之助は言下に、

「やめてお置き。その足の皹を癒すのにどれだけの金と手間が掛かったやら。雀貝は毎朝売りに来るやつで充分だよ」

と抑えられ、久子はふと一瞬、夢から醒めたように、もう貝掘りをしないでもよくなった今の暮らしへ引戻される事もあった。

松之助がこちらに家を持っている事は、新京の店には未だに固く内緒にされていたから、滞在中の来信はすべて徳三気付で来ていた関係もあって、松之助は一日一回必ずお仙婆さんを連絡に寄越しており、その口から徳三は松之助の日常のあらましは聞いていたが、見違えるようになった久子を実際に見たのは、節分過ぎに打揃って温泉遊びをしたときであった。

土佐にほんものの温泉と云ってはないが、湧出する地下水を温めたものには市の近郊に古くから円行寺温泉と云うのがあって、徳三はときどき日帰りでここの湯に浸りに行く。以前松之助を誘ったとき、宿の主人が谷川で獲った海老料理や、小鳥がたくさんやって来る池や、近所の人達も手拭いぶらさげて入りに来る鄙びた山の湯の雰囲

気がすっかり気に入り、たびたび連れて来て欲しいと頼まれていたのがずっと延び延びになっていたのであった。

九十九折の坂道を登り、ハイヤーが連れて行って呉れた山の湯の入口で、男たちは男湯へ、女たちは女湯へと分れ、白い湯気の舞う湯槽に外の木枯しを聞きながらやれやれ、と松之助は手足を伸ばし、

「どうです須田さん、あの子、儂の目に狂いはなかったでしょう。土付きの大根でも綺麗な水で洗えば上等の売り物になる。

この商売も大陸仕込みはどこやら違いますな」

と金歯を見せた上機嫌で、徳三はその云いかたにふと引掛かったが、返事の仕様もなくて濡れたタオルでずるりと顔を拭い、

「いや、恐れ入りました」

と云うより他なかった。

松之助は大陸仕込みと云うが、徳三が三十年このかた扱って来た妓の頭数は、一つの楼主が抱えた妓の数を遥かに上廻っていると思えるのに、あの顔見せの日、まるでおはぐろ溝に浸込んであったような汚いあの子が、僅か一ト月のあいだに卵の剝身を見るように生れ変わるとは、正直云って考えてもみなかった。生れ変わる例は何も久子に限らず、器量が売り物のこの世界では、糠袋を叮嚀に使い出せば誰しも垢抜けて

見えて来るものの、これほどの短い月日でこれほどの変わりようは徳三も他に知らないだけに、まっすぐ「商売の目の冴えと曇りの違い」と指摘されればあっさり兜を脱ぐ以外にない。それでも徳三は、お仙婆さんがときどき歯搔そうに云う、「うちの旦那さん、あの久ちゃんにすっかり鼻毛を抜かれて了うて」の言葉や、金に糸目をつけず物を買与えている松之助の様子から推して、大陸仕込みの商売をわざとひけらかすだけ、松之助の本心はもう久子に迷っている、と見てよい、と思っている。

それにしても、久子の変わりようには一緒に湯に浸った玉江もしたたかに驚いたと見え、あの埃だらけだったお下げ髪を、赤毛なりにつやつやと夜会巻に結上げている大人びた外見もさる事ながら、着物を脱いだ姿の痩せぎすに見えて肩も腰もふっくらと丸みを帯び、白い湯気のなかで肌はまるでほんものの真珠のように照輝き、と吐息混りに云い、

「それに気質も打って変わってうららかになって、気軽う後ろに廻って私の背中流してくれるやら、肩揉んでくれるやら」

あの勤め振りなら関谷さんも気に入るのは当たり前、と玉江の云うのを聞いて徳三は何故かほんの一抹、不安が胸を過った。昔、徳三がこの商売を始めるとき、貧しい家の女の子が親に尽す唯一の手立てを助ける職業、と云う心意気があって、それはい

までも、阿漕な楼主との取引は即刻断るだけの建前を通しているだけに、自分の手に掛けた妓たちが不幸に陥るのを黙って見ていられぬ思いがある。

誰が見ても倖せいっぱいと思える今の久子に、ふっと一筋不吉な影を見たように思ったのは、口でこそ松之助が商売、とは云っても、明らかに度を越して心を傾けている様子がありありと徳三に読取れるせいで、二人の仲が契約を仲にした雇い主と奉公人でなく、ただの男女の間柄としたら、早晩何かの結末はやって来る。熱いものは孰れ冷めるのが道理なら、ここは身売りする他の妓なみに、ちゃんとした年季契約の奉公をさせたほうが久子本人の為ではないかとそのとき徳三は思った。がすぐそのあと、これは同じ年配の男同士でありながら、孫娘のようないい女に傅かれる果報者を羨む歯軋りかも知れぬ、と思い返し、要らぬ口出しはしないほうがよい、とひそかに一人胸を宥めてもいる。

浴衣一枚で縁側に坐っている久子は、呆んやりと遠くに目を投げ、垣根越しの畑についこの間百姓の抜捨てて行った雑草が昨日の雨で頭から起上っているのを眺めている。この頃何をしてもなんとなくもの憂い感じがつき纏うのは、四月もまだ半ばだと云うのに、日中は水にでも浸りたくなるようなこの陽気の加減ででもあろうか。そう云えば松之助もときどきけだるそうに欠伸などしながら、

「土佐は暖かいのはいいが、たびたび雨の降るのはかなわんな」

と云い、雨の日は引籠って所在なさそうにラジオの浄瑠璃を聞いたり、按摩を呼んで鍼を打たせたりする。

土佐の春先の雨は長雨ではなく、花を砕くような足の太い雨がざあーっと来てすぐ上るか、昼の月が空に掛かっているかたわら、女のそら涙のような淡い雨がさらさら降るかで、そう滅入らずとも、と久子が気を向けて、

「須田の小父さんのところへでも出掛けてみましょうか。お父さん」

と誘っても、

「いいや、又にしよう」

と大抵の事はお仙婆さんの使いで済ます。

反対に久子はここに来てから雨がとても好きになり、あの雨漏り除けに金盥を座敷へ並べてあった路次奥の騒がしい雨の音に代わって、庭の木々を濡らすしめやかな音を座敷で聞いていられる落着きを思ったりする。そう云えば、年を取るに従い人は雨を嫌うようになると聞かされた事もあるけれど、久子がこう云う松之助に、自分とは遥かにかけ離れた「老人」を感じ始めたのは、いつ頃からだったろうか。多分それは、この暮らしに二人ともすっかり馴れた三月頃、と久子が思い返している胸の内側で、

「ほんとうの事をお云い。隠さず思い浮べてごらん」

としきりに囁く声があって、いつもこの誘惑には勝てず、ついもの思いにふけろうとするとき、自分ながら未練がましく、

「一番罪なのは、うちに三味線習わせたお父さん」

と云う怨みをちいさく口のなかで呟く。

今思えば、便所と云えども久子を脇に引きつけて置きたがった松之助が、暮れに手ほどきして貰った儘ずっと中断している三味線の稽古をすすめたのは、久子もときどき感じ始めていた密着の息苦しさを、松之助も折ふしは感じていたのだろうか。朝の遅い目覚め、時間を掛けた朝風呂朝飯、散歩、昼寝、美味を並べた夕食、あたたかい寝床のなかの遊び、毎日のったりと流れてゆく時間のなかで、久子の身の上と云う身の上は訴え尽し、聞き役の松之助もほとほと飽いて、

「それから先は鼠が嚙ったとしよう」

と冗談めかして話を折る事もあった。

あの日、やはりこんなふうに二人縁側に坐り、畑を打っている百姓の振上げる鍬に春陽が弾け散るのを見ていて、ふと松之助は、

「新京ももうまもなく春だな。洋車に乗って町へ出ると、白い柳の絮がいちめんにぽっぽっと飛んでいてね。なかなか気分のいいもんだよ」

と珍しく自分の事を話したあとで、何気なく、

「どうだお蝶、お前また三味線の稽古に通ったら？」

とすすめた。

久子は三味線をあまり好きではなかったが、初めて満州の話を聞かされて、

「お父さん、おうちが恋しゅうなってる」

と思ったあとだったし、その淋しさを慰める為ならとも考え、それに煙草買いでさえ表に一人出して貰えない窮屈さから、束の間でも解放される嬉しさもあって、

「明日からでも早速」

と云う松之助の言葉に素直に「はい」と従った。

この家の裏口からこっそり折々訪ねて来る久子の母親は、久子が三味線の稽古に通うと聞いて喜び、

「それはお前、お父さんが満州へお帰ったあいだ、お前が退屈せんようにと考えてくだされたがよね。有難い事よねえ、手までつけてくれて」

と云ったが、我が身の先ゆきなど思いみた事もない久子に取って、その母親の言葉は何の引掛かりも持たず軽く耳を通り過ぎただけであった。

久子が小学校時代の同級生田辺強に逢ったのは、稽古に通い始めて五、六日目ぐらいだったろうか。

この潮江地区には男子の高知中学、女子の県立第三高女があって、下校時には裏の畑を近道して帰る若い声の群れが、びっくりする程近くに聞えるときがあった。もと芸者だったと云う三味線の師匠の家は、裏の畑をいくつも横切った先の、高知中学のコンクリートの長い塀が尽きたところの横町にあり、塀の内側の樟の並木が鮮やかな黄を芽ぶかせているいい時候の午後を、久子は撥袋を抱いて毎日稽古に通う。

久子の小学校は男子二組、女子二組に分れていて、互に男女の交流は全くなかったが、交流がないだけに、久子のようなごく目立たない女の子でも男子の運動会の花形や、よく人前に立つ出来る子には却って強い憧れを抱いており、それだけにこの長い塀の遥か手前から、久子はそれが田辺強だとすぐ判った。女学校はおろか、高等小学にも進めない貧しい家の子ではあっても、一緒に卒業した友達がどちらの学校に進んだかは何となく憶えているもので、そのなかでも卒業生総代で答辞を読んだ田辺が、秀才の集まる高知中学へ入ったニュースは、とくに胸が膨らむような感じで聞いた事を思い出す。向こうから制服制帽の二人連れでこちらへ歩いて来る田辺は、見違えるばかり背丈が伸び、凛々しく面変わりしていて、久子はそれと認めた瞬間からひとりでにもう躰の熱くなっているのを感じる。

近づいたら頭を下げようか、いいえ、勉強も出来ず運動も下手だった自分を田辺が憶えている筈はない、そんなら近付いてそう名乗ろうか、いいえそんな、飛んでもな

い、と心の中が入乱れているうち距離はみるみる縮まって、何事もなくすっと擦違って了った。五、六歩行過ぎてのち、久子がはっと思ったのは、まだどこか冷たさの残っている春風が歯に沁みている切れ味で、してみると自分は、田辺に笑顔を向けて擦違ったものと見える、と思った。自分が歯を見せていたとは気付かなくても、擦違う瞬間、大きく目を見開いてこちらを見た田辺の顔を確かに捉えた感じがあり、あれは間違いなく自分を覚えている顔だったと思うと、久子は嬉しさが胸にふんわりと膨らんで来て袂を口に当ててころころと笑った。

田辺との出会いはたったそれだけの事で、以後うしろ姿でさえ見掛けた憶えはないが、あのとき田辺の制服の衿に光っていた二年の2の金文字は、もうすっかり大人の世界に入って了ったと思っていた久子の胸に、まだ数え年十六、の年の自覚を呼戻したようであった。六年の受持の先生は受験生に主力を注いでいて、久子のように、家の暮らしの都合で欠席したり早退したりする子は殆ど顧みられず、貧乏人の子にとって学校は少しも面白いところではなかったけれど、二年経った今思い返せばさまざまな懐かしさが起上って来る。あの頃は一クラス六十五人と云う大世帯であったし、なるべく人目に立たないよう、久子はむしろ自分から肩を竦めるようにして過ごしていたのに、あの田辺がこちらを見憶えていてくれたとは意外な嬉しさであった。

田辺と擦違ったあと、どう云うわけかすぐ続いて県立第三高女の女学生とも擦違っ

た感じを久子は持っていて、その後縁側で鏡を覗くたび、自分との対比に必ず思い出されて来る。真黒に陽灼けした、あの足の太い不細工な女学生たちを朝夕見馴れている田辺の目に、自分でもこの頃また一入、鏡を見る楽しみが深くなったように思えるこちらの姿がどう映ったかと考えると、久子はふと、小学校の頃の肩身の狭さを一挙に取戻したような思いにもなる。今度田辺に行逢ったら臆せず声を掛けてみよう、と思うのは、こんなに綺麗になった自分をもっとよくよく見て貰いたい下心があって、更に云えば、閉込められた檻のなかから手を伸ばして別の生き物に触ってみたいような、ひそかな欲望もある。久子自身はまだそこまで気付いてはいないが、あの日以来、あの道で田辺に会う事は二度となくても、何となく同じ年頃の中学生を見ると心がときめき、殊更に高く顔を上げて歩くような仕ぐさをしている事があった。

生あたたかい夜半、必ず便所に立つ松之助の寝床の抜け殻に束の間手足を伸ばしていて、久子はその残り香に微かな老人臭さがあるのを知って、ふと眉を寄せている自分に気付く折がある。あの塀の脇の小道で毎日擦違っている田辺の仲間たちは、若い獣の脂に似た匂いを遠慮なく振撒き、ときに久子の目を眩ませるほどなのに、こちらは白いシーツの上で汗を掻く事はあってもそれは脂の滴りではなく、薄い抹香の烟のような枯れた趣が漂う。湯槽のなかでも、糠袋を使いながら片手でしっかりと自分の肩を摑まえている松之助の掌を、以前はいつも柔らかいやさしい手、とだけの感じし

かなかったのに、いまは折々、あの詰衿の制服の、首筋の青い剃りあとや滑らかな皮膚を思い浮べる事があって、そんなとき、この手が老人の手でなく自分に似合った若い弾力のある手だったら、などと思ってそっと外したりする。久子が自分では気付かなくても、松之助の糠袋の動きが年寄りらしく鈍って来るとすかさず、

「お父さん、今日はうち一人でやります」

とそれを取上げ、きびきびした手付きで磨きに耽るのを、ときどき松之助は考え込むようにしてじっと見ている事があった。

久子はしかし、炒豆でも噛砕く自分の健康な歯と、沢庵でさえも駄目な松之助の入れ歯に明らかな年の開きは感じても、それをたてに居直ろうと思う太い気持は少しもなく、むしろ相手の年を意識すればするほど、これが妾奉公だと云う了簡が固まってゆくようであった。最初の頃は、何ひとつ不足と云ってない日常に夢かと迷い、松之助の裾に縋りつくほどの思いだったのに、此の頃では自分の若さの値打ちがほぼ判るような気もし、その若さ故にこれほどの手厚いもてなしを受ける因果も読めて来ている。ときどき、あの田辺たちの張充ちた若さに誘われ、身も心も浮足立つ事はあっても、一旦あの貧しい生活から救い上げて貰ったこの奉公を抛ってまで、形のないものを追求めようとする不埒な考えは起らなかった。

それでも、久子の心の中のちいさな変化はときに松之助の心に伝わるのか、

「お前、この頃動作がどこか荒っぽくなったよ」

とか、

「やる事に心が籠っていないね」

とか云われると、思わず胸の冷える事がある。

卵ひとつ飲ませるにしても、以前は黄身の上につーっと引いた血を取除こうと、長い時間塗り箸で格闘しているのを、松之助のほうから、

「それくらいの血、呑んだってどうって事はないさ」

と云いながら割箸で掬(すく)う事を教えてくれたのに、この頃ではうっかりしてその儘差出す久子の顔をじろりと見て、

「割箸、持っといで」

と松之助が云ったりする。

松之助のあの重い瞼の奥の、何を考えているやら判らぬ目のいろを、此の頃になってまた久子が怖いと思い始めたのは、その目で始終こちらの心を覗かれている後ろめたさのせいでもあったろうか。久子はときに、松之助のその目の奥を探りたい思いに駆られる事があって、明るい陽射しも恐れず松之助の傍へ擦寄って行って、

「ここ何かに咬まれたんじゃないか、お父さんちょっと見て」

と大胆に胸を押拡げる。

松之助が好きな、久子の固い乳房の淡紅色の乳首を見て、目に小波のような笑いが浮んで来るのを確かめれば久子は何か安堵して少々燥ぎ始めるし、澱んだ儘の重い目を動かしもしないときはすぐに身を縮めて松之助の後ろへ廻り、機嫌取りの肩揉みなど始めてみたりするのであった。

庭の沓脱石に吹溜る花の古蕊は桜から泰山木、小手毬、金雀児と変わり、松之助の嫌いな雨が三日にあげず降っていたかと思えば、陽射しはもうかっと暑くなって、近くの潮江山の木々の若葉がぐっと夏らしく緑を増して来る。縁側の硝子戸と云う硝子戸を終日明放していれば、紫陽花の葉裏にぶんぶんと立つ蚊柱がまいまいしながら座敷に入って来る事もあった。

土佐では冬と春の季節は短くて一足飛びに夏がやって来るが、気の早いお仙婆さんはその蚊柱を見て、

「旦那さん、もうそろそろ蚊帳を構えませんと、ここら辺は藪蚊が出ますきに」

と云うのを松之助はふんふんと聞流していて、一日、久子に云付けて、押入れに蔵ってあった旅行鞄を出して来させた。

鞄の表面にはもういちめん白い黴が這っているのに松之助は驚き、お仙婆さんに持たせて鞄屋へ手入れに出したが、そのときの口上に、

「大急ぎで、と頼むんだ。何時仕上るか確かな日を聞いて来るんだよ」

と松之助が云うのを耳にし、久子はお父さん、満州へ帰る日も近いんやな、と思ったが、母親の言葉のように、自分はこの家で三味線の稽古でもしながら留守を守るもの、といつの間にか思い込んでいて、むしろ暫くの自由の日を心待ちする気持のほうが強かった。

此の頃では煙草も酒も甘いものまですべて配給になり、この家は別荘として登録してある関係から人の籍がなく、食糧はすべて徳三の伝手（つて）を頼ってお仙婆さんが闇で手に入れて来る。出来上った膳に向かう側はまだあれこれ贅沢を云っているものの、調達する側には苦労もあるらしく、ときどきお仙婆さんがこぼすのを松之助は、

「満州はまだまだ物資が多いから、何とか送って貰うよう、方法を考えてみよう」

と宥めていた事もあったから、松之助の帰満に就いてはお仙婆さんなども、これから先の食糧仕入れのめどがつくのを喜んでいたくらいであった。

そのお仙婆さんが毎日のように玉江に告げてゆく女同士のひそひそ話は、日を追うに従って久子にばかり毒口が集中し、最初は玉江から伝え聞いて、女の焼餅、と笑っていた徳三も、この頃ではお仙婆さんが堪兼ねたふうに、

「ねえ須田の大将、一寸聞いてちょうだい」

と店にまで現れて、

「栄耀に餅の皮剝ぐ、と云いますがね。久ちゃんはほんまに焦げた皮は剝いで中の柔らかいところだけしか食べませんしね。この時勢に二分の麦飯でも炊いて出しゃ、どうです。箸の先で麦だけをぴんぴん跳出し、白米しか口へ入れんと云うつけ上りよう。器量を鼻にかけて横のものを縦にもしやしません。する事と云や鏡を覗く事ばっかし。これでいったい何様のお育ちかと思や、こないだまで母娘して雀貝を掘りよったと云うじゃないですか」

といきまくのを聞いて、徳三は何か深い思いがしんと胸の底を通り過ぎてゆくのを覚えたが、表面宥めて、

「まあまあお仙さん、関谷さんがそれで承知と云うなら、何もお前さんの腹が痛むじゃなし、余計な口をきく事もあるまいよ」

と帰したあと、女の扱いには馴れた筈の松之助の、これは思わぬ計算違いかそれとも目の見えぬ程迷い込んで了ったか、と暫くは自分も考え込んでいるのであった。

五月も半ばに入ったその日、朝から筒の太い雨が小止みもなしに降っていて、いちめん雪の積もったように咲揃って来た垣根の卯の花が小刻みに顫えているのを硝子越しに見ていた松之助は、

「これが梅雨に入る前触れかも知れんな」

と呟き、それから振返って久子に、徳三の家へ出掛けるから雨具の用意をするよう

に云付けた。

雨の日の外出の珍しさに久子は驚き、松之助の雨合羽、握りの蛇の目、下駄には爪皮を掛けて手早く玄関に揃え、続いて自分の身装いの為に鏡台の垂れを上げた後ろへ松之助が来て、

「今日は仕事の話だから儂一人で行く。お前は居りなさい」

と鏡の中へ云捨てて玄関へ立った。

そのぽかん、とした久子の表情と、白い衿足に髪が一筋紆って絡みついていたのが松之助の目に妙に鮮やかに残っていたが、その心の揺らぎも、雨の強さに持重りする傘の柄を操っているうち薄れて了い、やがて泥の増水が早瀬になっている鏡川を渡る頃にはすっかり忘れ去って了った。

雨の日の徳三の店には来客もなく、出迎えた玉江が雑布を差出しながら、

「まあまあ何ぼか濡れなさいましたろう。今日は久ちゃんは？」

と訊くのへ、

「いや、あれは、多分稽古でしょう」

などとやり過ごして、雨に冷えた手で火鉢の埋れ火を熾したりしている。

松之助は久し振りに寛いだふうで、もうすっかり雪も解けたであろう新京の春の話や、徳三から楼主たちの往来を聞いたあとで、

「今年の冬は、お陰で寒さ知らずで過ごさせて貰いましたが、そろそろ引上げどきですな。いや少々居過ぎたかも知れません」

と云った。

徳三のほうでも、ここ半月ほど前から松之助の帰宅を促す電報や航空便が届いていて、毎日のようにお仙婆さんに託していたから、それなりに心積もりして連帰る妓たちの手配もしてあった。女将の手前、長い保養のあと収穫が少なくては顔が立たぬであろうと考え、徳三が値の張るを承知で集めた選抜きの妓たちの写真を松之助は次々と見、顔見せの日取りなど決めたあとで、

「須田さんには今回随分ご厄介になりましたが、お世話になりついでにもうひとつ」

と懐から書付けを出し、極く平静な面持で、

「久子の事ですが。あの子をひとつ大連の金波楼辺りへ取引してやって貰えませんか」

と云った。

「取引？」

と徳三が意外そうな声を出すのを抑えて、

「儂が手を付けた子をうちの店へ入れるのは、他の妓に対してしめしがつきませんからね。金波さんなら客筋もいいし。どうです立て金は二千五百円。これなら儂の手に

正味五百円は落ちる」

と徳三の前に拡げた半紙には濃い墨の痕で、

一金貸金　一千三十円
一金右利息　一百円（自昭和十五年十二月至昭和十六年五月）
一金本人食費　二百円（仝）
一金衣裳貸料　三百円（仝）
一金芸仕込料　五百円（仝）
一金紹介人手数料　三百七十円
計　二千五百円

とあるのを見て徳三は腹の底で唸り声を挙げ、矢張りそうだったのか、と思った。この人の怖さは、鼻の痘痕が語るように測り知れないものがある、と考えつつ、取引の話ともなればこちらも退いていられず、

「しかし関谷さん、これではちょっと話にはなり難いと思いますよ」

第一まだ十五、六で客扱いも知らぬ親出でいて、それに芸と云ってもほんの端唄を一つ二つしか弾けないものを、と云う徳三の胸の内を読んだのか松之助は先へ廻り、

「あの子は気の強い子でね。それに小利口だ。この四月で満十五になって年も足りました。満州辺りの芸は内地と違って、流行り唄のひとつも弾けりゃあ結構芸妓で通り

ます。あの器量なら金波さん、二千五百円で飛付くでしょう」

と迷いのかげもなく云うのを聞いて徳三の、応じる言葉も急にはみつからぬような気持に陥ちている耳へ、外の雨音が急に高まって聞えて来る。

肚のなかで何かが沸ってい る思いがありながら、どうせ一生を親の為に働かねばならぬ身とすればこれを久子の不幸、と一概に決めて了うには躊躇があって、それでも徳三はぼつぼつ帰り仕度を始めた松之助に一言糺して置きたくなり、

「関谷さん、これは本人も承知の上でしょうな？」

と訊くと、表情のない目がここで初めて媚びるように笑って、

「いやあ須田さん、それは儂の口からはちょっと云出し難い。妓供が集まり次第儂はすぐにでも帰りますから、久子には後であんたから因果を含めてください。頼みます」

と煙草を蔵って立上り、土間に下りて合羽を着けながら、

「あ、それから、あの子の衣裳と鏡台はそっくり置いといてくださいよ。これからは内地も衣料切符制になると云いますから、この際着物は一枚でも財産だ」

さばさばと上機嫌で、

「〝浮草や、今朝はあちらの岸に咲く〟ですかな。では」

と片手で勢いよく傘を拡げ、舗道に高く弾け返っている太い雨足の中を、松之助は

しゃんと背を伸ばして帰って行った。

土間に立ってそのうしろ姿を見送りながら徳三は、この雨で潮江のあの家の、垣根の卯の花もすっかり打叩かれて茶色になって了う事だろう、と無慙な姿を目に浮べている。

影絵

長いあいだ、洋裁をたよりに細々と暮らしを立てていると、その日の天候によって変わる、相手の布地の機嫌のよしあしが文枝にはしぜんに判ってくる。こんな雨の夜の仕事は、布目は伸びるだけ伸び、糸もだらりとゆるんで、日和が緊まったら寸法に狂いがくるに違いない、と思いながらも期日に猶予のないため仕方なし冷たく湿ったミシンに上ったとき、鏡台のわきの電話が鳴った。

母親のしまと二人だけの世間のひろくない日頃のことではあり、夜更けの電話の心あたりもないままそろりと受話器を取ると、向こうは改まった切口上で、

「もしもし竹中さんのお宅ですか。失礼ですがあなたはお母さんでしょうか。それとも文枝さんでしょうか」

と、この土佐でいう〝よそ言葉〟ながら東京弁ではなく大阪弁とも違う訛の男の声が響いて来、文枝はふっとあ、これはいつかどこかで確か聞いたことのある、とは思いつつ咄嗟に切返せず自分の名を名乗ると、声はたちまちぱっと弾けて、

「おおやっぱり文枝か。儂だ儂だ、大高だよ。ほら栄子の亭主の」

と、まるで受話器を口のなかに入れてでもいるような大声で、おおなつかしい、なつかしいを言外に振撒きながら、

「え？　文枝。お母さんもお前も元気か？　そうか。僕はいまこの電話をどこから掛けていると思う？　高知だぞ。何と三十六年ぶりだ。この三十六年というもの、僕は一日たりとも栄子のことを思い出さん日はなかった」

と語尾はしどけなく涙声で引きずり、

「今日お前にやっと連絡がついたのは、これも死んだ栄子の引合わせとしか思えん。いまからすぐそっちへ行くからな。大体のところ道順を教えてくれ。タクシーにいうたら連れてってくれるだろう」

と飛立つように押してくる。

へーえ、三十六年？　あの大高がまだ生きていて？　と文枝はさっきから胸を轟かせてばかりいるだけに急には正気にさめやらず、とりあえず送話口をてのひらで囲って思案してみても、今夜いきなりここへ来られるのはお互いちょっと厄介なことだと思った。この電話のすぐそばに寝ているしまは今年春ごろから年寄り呆けの兆しを見せはじめ、昼間もほとんど眠っているか、眠るふりをして他人のことには露わな反応を見せなくなっているが、しまには長女、文枝には姉に当たる亡き栄子の夫、大高光義がいま不意に眼前に現れたらどんな事態になるかと思うと、文枝は胸いっぱいでさあどうぞ、と迎え入れる自信はないように思える。

それに、さっき二階から見た家の前の道は溝が溢れ、塵あくたを盛上げながら川に

なって流れており、昼間でさえ家の立てこんだこの辺りは判り難いのに、ましてこの出水ではタクシーも入って来られまい、と考えられ、十一時という時計の針をも横目で見ながら文枝は大高に、道の難渋としまの老衰を説明し、お宿を教えてもろうたら、明日私のほうから出向きますきに、と今夜の訪問を断った。

大高は明らかに不服そうに、今日午後、日章空港に着いて以来、古い記憶を頼りにあっちへ尋ね、こっちへ訊合わせ、そう広くもない高知市内をタクシーで五千円も走らせたあと、力尽きた思いで入った最後の喫茶店でふっと昔の芸妓娼妓紹介人、戸山隆三の名を出したところ、客に知っている者がいて隆三の息子敬太郎の消息が知れ、敬太郎の家の電話番号を引いてやっとその口から文枝の消息が判った、という苦心のいきさつをくどいほど往戻りしながらしゃべったあと、如何にも惜しそうに、明日の約束の念を押してからようやく電話を切った。

文枝はしばらくその場に坐ったまま、ぼんやりといまの電話の声を耳に呼戻しているうち、大高はがんがんと大声だったけれど、舌の廻りは決してなめらかではなく、むしろ縺れがちな、引攣るような発音だったのを思い出し、そういえば大高は確かお母ちゃんと同い年やったはず、今年七十五歳や、と気がつき、男女の体力の違いは判っていても一方は東京―高知を一飛びの上、雨の夜更けまで人捜しをし、一方はただだらしなく寝ているばかりの身の上に思いは寄って来る。

生れ落ちてからもう五十年近く、しまと二人だけの暮らしを飽きるほど長く続けているあいだには、母親とはいいながら憎みもし、怨みもした月日もあったけれど、向こうが手足も充分に叶わなくなって来た辺りから、文枝の胸には仕方なく憐みばかりが勝ってきたことを思う。疑えば、しまの老人性痴呆の徴候には、亀が防禦の姿勢に手足を引込めるに似たところがあって、苦手な話はすべて無反応で撥ねかえし、自分の持金、自分の着物、自分の食べる物に関してだけは卒然として澄んだ意識が戻って来る。その勝手さをきっと芝居なのだと思い、下手な芝居にこちらまで掻廻されないでいよう、と抵抗したこともあったが、狭い家のなかの二人暮らしにはやはり若いほうが折れ、しょせん向こうは老い先短いひとなんや、娘に甘えるのももういまのうちと思うちょるかも知れん、とこの頃では了簡が定まって来てもいる。

文枝は、ともかく今の電話を話しておこうと考え、

「お母ちゃん」

と呼びかけてその閉じている瞼の辺りを暫くみつめたが、たるんで重そうな瞼は微かな震えも見せなかった。このひとはときどき、聞えてはいても「お母ちゃん」という呼ばれかたが気に入らないことがあり、そういうときは「おしまさん」と呼ぶと機嫌よく返事をする折もあるけれど、文枝は、この頑なな沈黙はいまの電話の内容をすべて察していての上に違いないと思った。

文枝が子供から娘になってゆく頃、親離れの時期に重なって、しまとのあいだにいつも刺々しい空気が挟まり、それは明らさまに口には出さずとも、姉の栄子のことが原因だったのを文枝はいまでもはっきりと記憶している。栄子のことが家のうちで禁句でなくなったのは、文枝の腕に少しばかり生活力がついて来てからで、そうなると養われる側のしまの口から、いいわけとも真相ともつかぬ当時の事情がぽろぽろと割れて来、もう文枝も世間の裏表が呑込める年齢になっていたこともあって、そのとき以来何となく母娘のあいだで了解めいたものが成立ったように思える。

最近文枝は、ときどき吐息まじりに、

「とうとううちも〝横町のいかず後家〟になって了うた」

と口に出して呟くことがあるけれど、家から出ずじまいの娘と、ずっと昔、亭主に死に別れた独り者の母親とが作りなす家の空気は、世間の情勢がどう変わろうとも、ここだけは古井戸の底のように新しい空気が入って来ることはなく、その空気の芯にはいつも栄子の幻が坐っていたように思える。だから、もう栄子の祀りもほとんどせず命日さえ忘れ勝ちになっている今でも、大高の突然の電話を受けて動悸を覚えるほど驚いている心のうちにまだあの頃の、姉ちゃんのお婿さんをこの家に迎える、とても複雑で悲しく、ほんの少しなつかしい思いが文枝の内に漂っていないとはいい切れなかった。

文枝と栄子とはちょうど一まわりのひらきがあり、そのあいだには死産した子も入れるとしまは四人を生んでいて、いずれも一歳から三歳までに病気で死なせたという。文枝の頭のなかに、死んだ兄姉たちの出てこないのは年から数えて当然だろうが、栄子との思い出も世間の姉妹ほど多くないのは、早くから栄子が家を出たためもあったろうか。まだ文枝の記憶もおぼろな頃、ただひとつだけ鮮明な情景があって、それは栄子とふたりであやとりをしているその梯子のかたちのなかに、しきりとはらはら、はらはら、と落花が散込んで来るのであった。

あれはいつ、どこで、と手繰ってもいつも何も思い出せないが、ただ眩しいほど明るい陽射しのなかで、赤いあやとりの紐をくぐった白い花びらが黒い地面に点々と斑を打っている場面まで目に灼きつけており、あやとりの相手が確かに栄子であったかどうかと糺せば、その顔も姿も全く見えては来ないのであった。にもかかわらず、文枝がいまだにそれを姉だと信じ込んでいるのは、花ざかりの年で世を去った栄子の面影に落花の情景が重なり、両者とも人をしん、とさせるほどの美しさだったという理由もあったろうか。

文枝がもの心ついた時分には、二間きりの狭い家のなかはいつもしまと二人だけの起伏しだったが、それでも一年に一度、二年に一度ほどの間隔で栄子が戻って来ては四、五日泊まってゆく事もあった。栄子はこの家を冗談めかして「お籠り堂」と呼び、

「またお籠り堂へ精進しに戻りましたんや」

とにこやかにいいながら現れ、栄子が現れると暗いそのお籠り堂には一時に百目蠟燭が灯ったように明るくなるばかりでなく、しまが口下手のためふだんあまり人受けのよくないこの家に近所隣の人たちが何となく集って来、

「まあ、会うたんびに栄ちゃんきれいになって」

などと皆口々にいい合うのを、文枝は子供心にとても誇らしく思ったものであった。世間ではしま、栄子の母娘を見て、「鳶鷹（とびたか）どころじゃない、ドブ貝が珠を生んだようなもの」と噂をしていたらしいが、小さい文枝の目にも姉はまるでこの家にたった一枚掛けられてある、古びた軸の女体観音であるかに神々しく見え、ときどき鏡を取出しては、しまに似た自分の顔を不思議な思いでみつめていたことを思い出す。しまも文枝も脂性（あぶらしょう）の色黒で、「おたふくこけても鼻打たぬ」くちだと互いに笑うほどのしゃくれ顔なのに、栄子は何故か中高に鼻筋通り、同じ脂性の肌でもこちらは輝くほど白く照りかがやき、その上、唇が柔らかく小さく緊まっていて、人は一見してすぐそこに目が吸寄せられる。文枝はのちに、しまの世渡りのしかたから考えて、栄子と自分はひょっと種違いではあるまいか、と疑ったこともあったけれど、三人とも顔が卵型という点では一致しており、それに栄子のちょっと眠そうな一重瞼は、どんよりと垂れたしまのそれほどではなくても自分の腫れ瞼とも同じ系統なのを見ていく分安

心したこともあった。大人になってゆくにしたがい、文枝は姉妹同じ一かわ目とはいっても、ほんのりと紅を刷ければ何ともいえぬ色気の滲んでくる姉の一重瞼とは違い、自分のは下三白眼の腫れ瞼で、どう化粧しても人相の悪さから逃れられぬのを悔み、同じ鋳型の顔でも神様の手許がちょっと狂えばこんな差が出来る、などとしまを相手に愚痴ったものであった。それにしまの口数の少ないのは一緒にいてどこか陰気だが、栄子の多弁でないのは品よく見え、それに立居振舞いもおっとりしていて、一時期の文枝は栄子が姉ではなく、大家の令嬢が姉に化けて来ているのだという、小説まがいの夢に浸っていたことさえある。

文枝にとって、気高く美しくまたやさしく、一点非の打ちどころもないこの姉が、男相手の娼婦であるのを知ったのはいったいいつ頃からだったろうか。

多分小学校の低学年、文枝が誰彼の見境いもなしに姉の自慢をしていたことに対し、近所の男の子からでも、

「阿呆、あんまり威張るな。お前の姉貴はショウギじゃないか」

などと水をかけられたのが最初ではなかったかと思う。それが誰であったか、また確かにそういわれたかさえはっきりしないが、その頃文枝の家は、料理屋が軒を並べる播磨屋橋界隈に接した弘岡町のまん中にあって、近所隣や日常見かけるひとのすべてが玄人だったし、それにしま自身、ずっと昔から、日暮れ時になると赤い前垂れを

かけてこの料理屋の裏口を入ってゆく勤めだったから、姉だけが例外であるはずがないという観念は、早くから文枝に植えつけられていたものかも知れなかった。

しまの勤めは本来仲居だったが、口重(くちおも)で客あしらいが苦手なため、余得の多い仲居稼業を自分からときどき下りては、下足番や板場あたりを手伝ったりすることもあった。雇われ人の仲居といえども、古参になれば一楼の実権を掌のなかに握って、主人よりも幅を利かすようになる人もあるが、しまには悪心もない代わり才覚もなく、ただあるがままに日を過ごす故に、こういう生きかたを指してまわりの人は「ありなりのおしまさん」という。もの事に対し、ここ一番で踏んばるでなし、肝に銘じて何かをするでなし、きっぱりと義理立てすることもなければ濃い情も持合わさず、つまり土佐言葉でいえば際(きわ)の立たない生きかたのこんなしまが、何とか娘と二人食ってゆけたのは、表面きつく見える水商売ではあっても、謀反さえ起さなければ人との縁を何より大事にする、この世界の有難さとでもいうべきだったろうか。

しまの連合いは、腕のいい指物(さしもの)大工だったが気まぐれな気質の大酒飲みで、まだ生きているうちからしまは人に雇われて夏はわらび餅の屋台を引き、冬は焼餅を売って僅かな金でも得なければならぬ暮らしであった。栄子の下につぎつぎ生れた子を背にくくりつけて屋台を引くとき、子が眠れば子の手足まで骨なしになったように眠り、屋台の震動につれてその手足がぶらぶらとしまの肩腰を叩いたことや、いつも着物の

裾をまくり上げて帯に挟んで働いていたために、近所のひとたちから、

「姐さん、今日もまた溝が深いのう」

とよく冷やかされたことや、借金のために暮れが越せず、一人を背に二人を左右に、せめて道に銅貨でも落ちていはせぬか、と目を皿のようにして歩き廻ったことなど、それらの記憶が半ばかすむほどの年月が経ってのちふとしまに蘇る日があり、重い口で文枝にも話して聞かせてくれたことがある。

文枝には父親はほとんど憶えがなく、いつか簞笥の小引出しから軍人の勲章の箱をみつけてしまに問うたとき、

「お父っちゃんは若い頃、日露戦争へ行ちょったそうや」

といったが、それが真実だとすると明治三十七、八年の戦争でラッパ手を勤めた父親としまの年齢は父娘ほども開きがあり、その辺り子供心にも何となくうさん臭いものを感じて、以来父親について根問いすることもなく少女期を過ごして来ているのであった。この家に父親の思い出などべつに必要でもなかったし、それに文枝よりはもっとよく父親を知っているはずの栄子も、たまさかの帰郷の際にも何も教えてはくれなかったから、文枝の父親への気持は極くうすく、考えてみればそのぶんだけ栄子のほうへ心が傾いていたものとみえる。栄子に対しては、単に美しい姉に対する思慕というのみでなく、もしその後生きてあれば、末子の文枝ひとり竹中の家の将来や、し

まの老後に心を労することもないと思う気持も加わっているだけに、いく度思い返しても栄子が死に至る前後の記憶は、子供心にもなお鮮烈なものがある。

それは昭和十三年の秋、文枝が小学校三年の夏休み明けで、その頃大阪にいると聞いていた栄子がまた前触れもなくひょっくりとこのお籠り堂に戻った。時日をはっきり憶えているのは、栄子から、

「今度は何にもお土産がなかったきに、何でもお前の欲しいもの買うたげるわ。何がええ？」

と訊かれ、文枝はすぐ飛びついて、

「ほんまに何でもええ？　高いものでも？　ほんなら裁縫道具」

と一気にいってのけ、姉ちゃんよう買うか知らん、と上目遣いで栄子の顔を窺ったことと関わっているためであった。

文枝の通っていた第一小学校では、まもなく二学期から時間割に裁縫が加わり、生徒は道具一式揃えねばならないが、学校の売店でそれを買うとかなりな金額になる故に、以前から文枝はしまにいい出しかねているところであった。売店には白木の裁縫箱の中に、赤い線の入った運針用の晒布と用具一式セットになって飾ってあるが、それをねだったところでしまは気乗り薄の口ぶりで、

「そんな高いものは買うに及ばん。裁縫箱はなんぞの空き箱でええ。そのなかへうち

の針箱のものを詰めて行たらそれでええがね」

　というのは判っていただけに、栄子が鸚鵡返しに、

「そらおやすいことや。文枝は手先が器用じゃきに、一番ええの買うてあげるわ」

　と受合ってくれたときは、傍のしまが、

「こらっ。畳の目から埃が舞上る」

　と怒るほど文枝は何度も何度も飛上って喜んだものであった。

　一番ええの、の約束通り、栄子はそれを学校の売店でなく、新世界のマーケットで揃えてくれたが、ボール紙に漆を塗った赤い裁縫箱や、色硝子のついた待針、ベティさんの顔をした針差などがどれほど文枝には嬉しかったことか。赤い裁縫箱を抱いて近所に触廻り、

「こら、これ姉ちゃんが新世界で買うてくれたよ。うんと高かったよ」

　と胸の前でそうーっと開けては鼻を高くした日を思い出す。今思えば、子供心にもまことに味気なかったあの頃の暮らしのなかで、あの裁縫箱だけは身分不相応に贅沢なものだったし、またそういうものを持っていることでどれだけ心をあたたかくしてくれたことだったか。

　栄子のこのときの滞在はいつもよりはずっと長く、そのせいかどうか日頃は用事の言葉しか交わさない無口な母娘同士が、ときどき長話をしていることがあった。文枝

が学校から帰ると、明らかに不満げな響きのこもるしまの声と、それを宥めているらしい栄子の声が往来にも洩れて来て、その様子から文枝は今度の栄子の行先はずっと遠い土地らしいことを知った。栄子自身は浮き浮きしており、珍しく自分から文枝に向かって、

「姉ちゃん大連というとこへ行くのや。お金がざくざくあるとこやいうからね。お金持になって戻るかも知れんよ」

と話して聞かせたが、それが満州国（現、中国東北部）の玄関都市であることは、六年になって外国地理を習うまで文枝には判らなかった。

よく里腹三日などというけれど、家に戻ると栄子はいつも家事は何もせず、しまがいないときは昼も夜も腹拵えは近くのうどんやか、経木に入ったおかずを買ってきては食べる習慣だったし、掃除洗濯もしま任せで全く手を出さなかったが、文枝はそれを、きれいに生れついた人間が当然持つべき特権のように思っていたものであった。それが今度ばかりはまめまめしく立働き、寝床の上げ下ろしも自分でするだけでなく、出発の日が近づくと戸口の腰高障子を貼替えたげる、といいだし、しまの、

「小んまい子がおるじゃなし、大破れもしちょらんきに、今年も切貼りだけでええ」

という制止を振切り、紙代ぐらい知れたもんやないの、うちが買うわ、とこともなげにいって日頃に似ない働きようをしたのは、或はこれが最後の親孝行という虫の知

らせでもあったろうか。

弘岡町辺りでは、大きい洗い物は皆鏡川へ持って下り、障子なども石垣に立てかけたり水に浮かせたりしながら洗うのだけれど、そのとき手伝っていた文枝は、裾を端折って水に入った栄子のふくらはぎの白さが秋の陽を弾き返すほどのなめらかさだったのをいまも思い出す。透通った川水は栄子の足首のまわりでゆるやかに遊び、その上にたわしの水が滴って、水の輪はオリンピックの紋章のように重なって拡がり、それが一瞬静止したとき、水底の砂利をきっかりと踏んまえた栄子の足指はまるで土佐名物のショウウインドのなかの、磨きあげられた白珊瑚のようだった、と文枝にはいまも鮮やかな記憶がある。同時にあのあと、乾かした障子を座敷に寝かせ、小麦粉を煮た糊を刷毛に含ませて桟に塗ってゆくとき、馴れぬ手つきの栄子は糊をつけ過ぎてしきりにぽたぽたと畳の上に落すのを、そばからしまが軽く舌打ちをしながら、

「まあまあ、家のことをしつけんひとのするざまときたら」

というのへ、栄子は流し目の抗議をくれて、

「こんなに育てたのは、どこの誰でしたかねえ」

といった言葉も不思議に文枝はいつまでも憶えているのであった。

このとき、恐らく一生にただ一度の障子貼りであったろう栄子が、いよいよ大連に発ってから暫くののち、しまが突然仲居をやめ、住馴れた弘岡町の家を払って玉水遊

廓の対岸の石立町で間貸し屋をすることになり、文枝も二学期の半ばで転校手続きをして新しい石立小学校に移って行った。もの心つく時分から、自分の母親が何となく頼りないという感じを持続けて来た文枝にとって、このときの引越しから開業に至るまでの、しまの螺子の掛かった働きようと来たら、生れて初めて、

「うち、お母ちゃん好きや」と思わせたほどであった。しまもはしゃぎ、引越しの荷の一休みには、

「さあ、三べん廻って煙草にしょ」

とか、「この箪笥どこへ置く？」には、

「待って。冬の蛙でかんがえる、じゃきに」

などと珍しい軽口が飛出したりして文枝を笑わせた。

もっとも、開業とはいっても古い家を間借り人そのままで譲り受けただけであり、この采配はしまが「戸山の兄さん」と呼ぶ物堅そうな老人が一切ふるってはいたが、それにしても、自分たちの居間は階下二間ながら、二階三間下一間を人に貸して家主となり、しまがもう夜な夜な家を空けなくてもよくなったのは、子供の文枝にはどれほどの大きい安堵だったろうか。

石立町は鏡川の南岸にあり、引越しの当座、川岸の青かったじゅず玉が白く枯れて首飾りにできるようになった頃、栄子から初めての写真入りの便りがあった。栄子は

滅多に手紙を書かない人だから、文枝には後にも先にもこれ一度しか記憶はないが、それには小学三年の文枝と同じ程度のたどたどしい鉛筆の文字で、このたびミス大連に選ばれました、私の背丈と同じくらいの大きい写真が大連駅の正面に飾られましたので、その写真の小さいのをお送りします、という意味の方言混りの文言（もんごん）があって便箋の終りに、

「文枝の、どこでもすきなところへこれをかざっておきなさいや。写真を入れる四角なわくみたいなものはそのうち送ってあげますからね」

と添書きしてあった。

手札型のその写真は、豊かな洗い髪をそのまま背に垂らした栄子が、大名縞の着物の裾引姿で扇子片手に微笑んでいるもので、写真の右上に、

「仙姿玉質、絶世の美人、逢坂町梅花楼、玉菊」

と文字を刷込んであり、しまにいわせると、

「あの子にはこんな粋な恰好は似合わん。いつまでも素人（しろうと）くさいきに」

とのことだったが、文枝にその意味は判らず、「姉ちゃんすごい」と思いながら飽きもせずその写真に見惚れているのであった。

栄子は、大連の遊廓連合会のなかから選ばれたものだったが、世間の狭いしまと子供の文枝には、ミス大連と聞いてもどれだけ偉いものやら見当もつかず、おとしの

南国大博覧会に出たミス高知でも、花飾りのついた自動車で本町通りを練っただけで、大きな写真が出なかったことと較べれば、大連は町が広いだけに土佐よりはもっと上じゃろ、としまはいい、そう聞くと文枝は低い鼻をいっそう高くしたくなる。自分の机など持たない文枝が、家中でいちばんよく見えて好きな場所といえば、それで食事もし、宿題も裁縫もしているちゃぶ台の前の壁しかなく、古びた水屋と、ぶら下がっている箒のあいだの僅かな隙間にそれを四隅鋲で止め、朝晩眺めることになった。ほんとうなら、以前弘岡町でしていたようにこの写真を近所中見せ廻って自慢したいのだけれど、こちらはまだ馴染みも浅くてそれができず、また、洗い髪に裾引姿という風態は、ひょっとすると世を憚るものではあるまいかという疑いも、そろそろ文枝の内部に兆し始めている頃でもあった。

　それでも文枝は、結婚もせず波瀾もない代わり幸福にも乏しかった自分の半生を振返って、最も気持が昂揚していたのはこの石立町引越し当座の二カ月ほどの時期だったと思う。どういう金かは知らないが、二階建ての間貸し屋をしまは、

「ここはうちのお銭で買うた家じゃきにね。間違いなし自分の家じゃきにね」

と繰返しいっていたからその心の弾みは文枝にも移り、子供心に母親も案外な甲斐性者だったことを発見しての嬉しさに加え、姉もやはり大都市の駅前に等身大の写真が出るほど世に認められていることで、転校後の心細さなどかき消されてしまうほど

晴れやかであった。自分ではそれとはっきり意識しなくとも、長いあいだの母子家庭の肩身の狭さを、これで一度に拭い去ることが出来たほどの思いだったのではなかろうか。

が、それも長くは続かず、暮れも押詰まった三十日、栄子が大連から一人で戻って来てからは、また母娘のあいだでときどき長い談合が始まり、今度はそれに戸山老人も入って何やら混入った話になっているらしかった。今回の栄子は文枝どころではない様子で、ちゃぶ台の前に貼ってある自分の写真を見ても額縁を買ってあげようともいわず、どこからか毎日のように配達されて来る電報を前にして、ふさいでばかりいるのであった。ときどき思い余ったように出る言葉は決まって、

「あと幾日や。どうしようかしらん」

というおぼつかなさそうな響きばかり、それに対してしまは手をさしのべるというふうではなく、また慰めもせず、仕方なしの相槌には、

「まあ栄子、気長うすることや」

などと見当違いの宥めかたをして繕っていたのは、ずっとありなりで過ごしてきたしまに、この事態の判断も対策も全くできなかったためなのであろう。

母娘して頼るのは戸山老人だけで、行ったり来たりして日を過ごすうち年明けての七日、三学期の始業式で昼前に帰った文枝は、上り端に見たこともない上等の尾錠の

ついた茶革の長靴の脱いであるのを見、障子を明けて入った座敷に、母娘に向かいあってどっかりと坐っている男の広い背中を見た。三人は突立っている文枝を見て一瞬何もいわず、暫くしてから栄子が、

「文枝、坐って挨拶せんかね」

といい、続いて客の男が、

「あんた、妹？　儂はあんたの兄になる大高だよ。姉さんを連れにやって来たんだ」

といった。

男は、目を合わした文枝が「まあ竹林寺のお仁王さん」と心のうちで思ったほど肩の盛上った居丈高な躰つきで、そのわりに顔は怖くないが、ただ小さなその双の目だけは、五台山(ごだいさん)にかかる夕方の一つ星のように鋭くらんらんと光ってみえる。見たところ普通の人間なのに、文枝には大高が、見も知らぬ外国からやって来た遠い世界のひとのように思えたのは、日頃あまり男をみかけないためと、言葉が土佐弁でないこともあったろうか。この座の文枝に対する関心は大高のその一言だけで終り、また三人向かい合っての話に、文枝はいつもそうするようにちゃぶ台の前へ行って坐った。暮れに大連から突然戻って以来、栄子が毎日思い悩んでいたことの原因はこれだったかと思うと、文枝には大高という男が何となく仇(かたき)のように見えて来、しっかりとよく見ておこうと思った。大高はアルパカの背広にネクタイを結んでいるものの頭は丸刈り

だし、あの尾錠のついた長靴といい、それに大事そうに壁にかけてある、内側に豪華な毛皮のついた外套といい、ちょっとちぐはぐだけれどもやはり軍人ではないかという気がした。このあと十日ほどの高知滞在中、大高は最高の貂だというそのシューバを羽織り、防寒帽を着、長靴を穿き、耳に耳袋、手にマッフをはめて毎日町を歩いたが、文枝は、土佐では見かけないその異様な装束から、大高の職業がやはり軍人で、これから任地さきの天津へ栄子を連れてゆくのだということを栄子から教えてもらった。

大高は市内に宿を取り、戸山と打合わせたり旅券を申請に行ったり、ときには栄子と遊びにでかけたりしたが、豪勢な身装のわりには文枝に小遣いのひとつもくれず、また親になるしまや、ずい分世話をかけている戸山に対しても物を贈りもせず食事にも誘わなかった。

体格のいい大高が厚いシューバを着ると、文枝の最初の印象どおり、山門の仁王が風を巻起して通るかに見え、その上ギュッ、ギュッと鳴る長靴は往きずりの人でさえ居すくませるような威圧感があった。大高がやって来ると、栄子もしまもおろおろしどおしで、栄子が後ろへ廻ってシューバを脱がせればしまはやれ座蒲団、やれ煙草の火、と気をつかい、大高が火鉢しかない土佐の冬を寒がり、

「これでは暖房完備のあちらのほうがずっと暖かだ」

といえば慌てて家中のありったけの火鉢に火を熾したりする。

　暮らしの違うせいか大高のすることは何も彼も珍しく、ごうごうと家中に響くような音を立ててうがいすることや、やたらに茶を飲むくせ、それに咽喉の奥にラムネ玉を詰めているような含み声まで、文枝は目を見張るようにして観察していた記憶がある。べつに声を荒げて女たちを叱ることはないが、文枝はこのひとの傍に寄ると何となく鋼の匂いがする、とよく思った。この家の近くに刃物の研ぎ屋があり、その家の前を通るとどぎどぎに研いだ鋼の、冷たいとも怖いともいいようのない匂いが路上に流れて来るその香を、大高は全身から発散していて、それはこちらの意志を瞬間的に封じてしまうような、そんな感じがあった。栄子は夫になる人だから立てねばならないだろうが、大高と同い年と聞くしままでが栄子以上にいつも土下座の姿勢で仕えているのは、文枝には不思議でかつ滑稽にさえ見える。一度は横になっている大高の、栄子が腰、しまが肩を一所懸命で揉んでいる場に文枝は出会して、その横柄な態度を見て子供なりに憤慨し、

「姉ちゃん、大高のこと嫌いやったらあんなに親切にせんでもええのに」

　とひそかに思い、せめてもの抵抗に自分だけはものをいわずにいようと考えていても、大高から、

「おい文枝、茶のおかわり」

と一言いわれれば、口答えもできずやっぱり茶を入れに立つのであった。

嫌だ嫌だと内心思っても、大高のあの一つ星のような目で見られると女はすべて身動きもならなくなるのではなかろうか、とは文枝があとから考えたことだが、しまにしても大高のいないところでは拳を出して、

「ねえ栄子、あのひと案外これやねえ。握りやねえ」

と愚痴をいい、まして栄子は、

「天津やいう遠いとこへはほんまに行きとうない」

と出発の日が近づくにつれ、日めくりの暦を数えながら次第に心細そうに、ときには涙声でいいながらもやっぱり少しずつ荷拵えはしているのであった。

本来なら一カ月近くかかるところを、戸山から高知署の特高課に裏工作をしてもらってまもなく旅券も下り、コレラの予防注射も済ませ、荷物も送り出してから一月十六日、二人はしまと戸山老人立会いのもとに、帯屋町の大神宮で式を挙げてからその足で高知駅へ向かい、午後四時四十分の汽車で朝鮮満州経由、遠い天津へ発って行った。大人たちから忘れられていた文枝は、この日も学校へ行かされていたが、放課後息せき切って戻って来ると家のなかにはもう誰もおらず、栄子が今朝まで着ていた青い銘仙の着物がぽつんと一つ、奴さんのように突っぱって衣桁にかけられてあった。近よって着物を顔に当ててみると、髪油でもなく白粉とも違う栄子の肌の匂いがじっ

とりと染込んでいて、文枝はふと、姉ちゃんもう一生戻って来んのやないやろか、と思わず身ぶるいするような感じが走ったのを思い出す。しまにしても、日頃何の述懐もしないひとがこのときばかりは、

「もう天津とやらへ着いた時分やろか。あちらはえらい寒さじゃというきに、毎日温うにして暮らせりゃええがねえ」

などと珍しく情のある様子だったのは、文枝同様、もう戻る日もないかも知れぬというひそかな予感があったろうか。

今度の天津行きは、勤めと違って金のある大高がついている故に安心のはずだけれど、出発の日まであれほど渋っていた栄子の姿を見ているだけに母娘してときどき案じ、

「天津てどんなところ?」

と文枝が問えば、しまはほんきで、

「さあ、鬼が棲むという安達カ原ほどじゃあるまいが。日本の瓦屋根は一軒もないというきにねえ。赤い煉瓦の四角い家ばかりじゃと」

と教え、文枝も、そういえば栄子が、

「あちらは南京虫がおるきに、嫌や」

と呟いていたことまでしまに告げては、それを互いに僅かな知識として栄子の暮ら

しを思ったりするのであった。

　たっぷりと車中三泊四日はかかる天津までの旅のあと、大高名で〝ブ　ジ　ツイタ〟の電報が来て以来、それからは暫くのあいだ消息もなかったが、二月半ば頃大高から封書が届き、それには到着後早速家を構え、苦力を三人も雇って栄子には不自由のない生活をさせている由に続いて、栄子が家事、とくに料理がてんで出来ず、出来るのは小豆を砂糖で煮ることだけ、これでは苦力にもバカにされます、と面と向かってしまの躾を叱るようにつけつけと書いてあった。しまは言葉もなく、代わって手紙を読んでいる文枝に向かって照れかくしに封筒の裏を見ながら、

「天津日本租界三島街九ノ一〇番地、大雄洋行。これは何と読むやろね。むつかしい字やねえ」

　などと呟いて胡魔化しているだけなのであった。

　娼妓に身売りするほどの家の娘に、一挙に苦力を三人も使う家の令夫人になれといっても無理な話、とは思っても、それは言葉になる以前に消えてしまう呟きであって、もちろんそれに対する返事などしまに書けるわけもなく、また暫く消息が途絶えたあと、忘れもせぬ三月十五日の冷たい霙の降る夕方、至急電で、〝エイコモウチヨウエンヨビ　ヨウヘイハツジ　ユウタイ〟という文言であった。しまにはその電文の「余病併発」の意味は判らなかったが「重体」には胸騒ぎ、こういうときの相談相手は戸

山老人より他ないこととて、夕飯も摂らずその電報を握ってすぐ出掛けていった。そのあと文枝はラジオをつけて留守番をしていたが、霙の音が少し繁くなるとすぐしまの傘の音かと思い、いく度表へ立ったことだったろうか。やがてしまはがっかりした顔で帰り、天津は外国じゃきに、そら、といっても急には旅券が下りんのやと、次の電報を待つしかないと兄さんがいうたよ、と文枝に告げた。

こういうとき、何故あの子を遠い天津へやったろうか、とか、大高も大高や、もっと早うに知らせてくれたらよかったに、とか、悔み言が一切いえないのがしまで、ただ黙ってちゃぶ台の前に坐っているだけなら文枝も何もいうこともなく、部屋のなかにはラジオの漫才が低く流れているだけなのであった。翌十六日の正午、〝キトク〟の電報が来、続いて夜十一時に、〝ホンヒゴ　ゴ　一ジ　五十フンエイコシス〟の知らせが届き、その電文を手にした時間には、もう栄子は既にこの世にいなかったのをしまも文枝も知った。

電報が着いたとき文枝は眠っていたが、しまに起されてすぐ目をさまし、上機嫌で、

「あ、うち今まで姉ちゃんといちまさんごっこして遊びよったよ」

といったという。文枝にはその夢の記憶は全くないけれど、姉の死の真実が少しずつ胸に沁みてくる頃、ふとした拍子によく、

「遠い天津へはほんまに行きとうない」

行きとうない、行きとうない、と栄子の声が谺をひいて聞えてくることがあった。

死亡の知らせが届いた夜、しまはもう戸山へ駆けつける気力も無くしたのか、ぺたんと文枝の枕許に坐ったままものもいわずに呆けていたが、朝目を覚ますと、帯も解かない姿で文枝の横で寝ていたことを憶えている。何しろ死亡とはいっても、こちらで確認できるのは短い電文一枚が事実のすべてであって、面倒な旅券と三泊四日の旅程に隔てられた仲では葬式の、供養の、といっても手が届かず、その死を未だ容易に信じられないというところもあった。

それに、三月十六日のこの通知のあと、詳細の報告があるものと待っていた大高からはその後何の便りもなく、手の打ちようも知らず毎日うかうかと暮らしているしまのもとへ、今度は義侠派の戸山老人のほうからたびたび出向いてくれるようになり、盲腸で死亡とはいっても誰もこちらの者が見たわけではなし、それにいまどき盲腸で簡単に死ぬというのも、すぐには信じ難い気がしないでもない、大高も婿の責任として医師の診断書を添え、遺骨くらいは自分で届けに来て親に詫びをいうのが人の道ではあるまいか、といい、そういわれてみるとそれも道理、としまはあとから気がついてくる。

四月八日、戸山隆三は竹中しまの代理人として大高あてに医師の診断書と遺骨の請求を出したが返答無く、続いて十五日、十九日、二十五日、と手紙、電報で畳みかけ

て催促したところ、やっと二十九日になって遺骨を提げて本日天津を発つ旨の電報があった。これらの日付の克明な記録は戸山隆三の日誌にきっちりと記されてあり、のちに文枝自身が見せて貰ってすべて納得できたもので、また遺骨の請求も、結婚式を挙げたとはいってもまだ入籍もしていなければ、栄子の嫌がっていた天津の日本人墓地へ埋められるより遥かに理に適っているのであった。

五月二日火曜日の朝、文枝は学校を休み、しまと戸山の兄さんと三人で高知桟橋へ大高を迎えに行ったが、白木の箱を抱えてタラップを下りて来たのはあの仁王の大高でなく、見も知らぬ中年の婦人であった。外国生活者らしく四十がらみのその人はすっきりと足を出した洋服姿で、初対面の挨拶は、

「大高さんは軍務の関係でおいでになれないので、私が頼まれて参りました」

といい、職業は看護婦だが、栄子の亡くなった陸軍病院ではなく民営の興亜病院勤務だという。

大高自身が来ればあれも訊(き)こうこれもなじろう、と身構えていたこちらの組は、意表を衝かれ、振りあげた拳のやり場に困るかたちになり、その上何を訊いても、

「私はまるきり存じません。ただ頼まれてこちらへ参りましただけで」

と突戻されるのでは気持も砕け、胸を宥めながら遠路の労を犒(ねぎら)うだけとなる。文枝には、口惜しいことにこの女性の記憶はほとんど無く、それは、黒っぽいそのひとの

コートの胸に抱かれていた小さな箱のなかに姉ちゃんが入っている、という信じ難い事実のために他に、気を向けるゆとりなど全く持てなかったためもあったろう。

もっとも、遺骨を受取ってすぐ帰すというわけにもいかず、翌日の簡単な法要に引続いて四、五日家に泊まってもらい、高知市内を見物させてから、帰りは汽車にするというそのひとを、またしまと文枝は高知駅まで送って行った。滞在中、せめて栄子の過ごした天津の町の様子など訊いてみたい気持もしまにはあったろうが、何しろ遠い世界のひとという印象が強く、訛も違えば何となく話がおっくうで、用事以外ほとんど口をきかないで過ごしたことも、文枝のそのひとに対する関心をうすいものにさせたのかも知れなかった。そのひとの帰り際、戸山の兄さんは、謝礼と旅費は多分大高から貰うておるじゃろうから、こちらからは何もせんでもええやろ、といっていたけれど、しまは親としてのほんの気持という意味あいから封筒へ二十円を入れてさし出したところ、そのひとは目の前でそれを開いてみて、

「あのう、申し上げ難うはございますが、天津から高知まで片道五十円はかかりますので」

としまに百円を請求したという。

しまは、有金さらえてさし出した口惜しさと驚きで、文枝にこの話をこぼしたが、文枝は奇妙にここだけを鮮やかにいつまでも覚えており、それはやっぱり大高への不

審を育てるひとつの要素ともなって来る。栄子の死に関わるいろいろな往来はこれで一切が終りとなり、以来大高との縁もふっつりと切れて年賀状のやりとりもなければ消息もきかず、長い長い月日がその上に降積もってゆくのであった。

このとき小学四年に上った文枝は、当時ぼんやりと映っていたこれらの情景が、一年ごとに鮮明に澄んで来るようになり、同時にたった一人の、観音さまとも慕ってい た姉を失った悲しみが次第に胸のうちに膨らんで来るようであった。冬になると、この界隈を日蓮宗の信者たちが寒行の団扇太鼓を鳴らして過ぎてゆくのを、栄子が大高とともに天津に発ったさびしい夜、その寒行の太鼓が遠くで鳴っていたのを思い出したり、また、町角の甘い匂いにふと誘われ、そこに「天津甘栗」と書かれてあったりすると、胸の奥がきゅうっと、痛くなるような感じがつきあげて来る。動作のおっとりしていた栄子が、便所に大嫌いな蜘蛛がいて慌てて飛出して来た姿、珍しく島田に結って大黒さんへお詣りにゆき、笹の葉につけたお福をゆらゆらさせながら戻ってきた弘岡町時代、それがたった二十二年の、朝顔の露の人生だっただけによけい文枝には悲しく思われて来る。もし生きていたら、もし生きていたら、という思いはいつも文枝の胸にあり、一時期、町に出ると必ず無意識のうちに栄子に空似の人を目で追っていたこともあった。

文枝が、姉の死に関わるこの一連の出来ごとを「事件」だと考え始めたのは、その

後どれだけ経ってからだったろうか。決して唐突でなく、子供心の不審を改めて確認したかたちだったから、多分世のうらの汚さも少しは見え出した年頃かと思われるが、同時に栄子の死がきっかけとなって、自分でも判るほど意地に似た強さが出て来始めたように思う。何への意地かといえば、栄子の死に対して、ただ空しく手を束ねているだけのしまの生きかたへの批判よりなく、自分は決してああはならぬ、と心ひそかにきっと奥歯を嚙締めているのであった。

ちゃぶ台の前のミス大連の写真は、そのまま遺影となって仏壇に飾られ、文枝はその「樒の奥の姉ちゃん」に手を合わせて拝んでいるうち、姉とあまりにかけ離れた自分の器量から、将来は裁縫で身を立てようと思いはじめたのは六年の終り頃であった。勉強はあまり得意ではなし、幸い間貸しはいつも満員で、つましくすれば母娘は僅かながらでも貯金ができていたから、しっかりと受験勉強しなければ受からぬ高等女学校ではなく、無試験で入れる裁縫専門の実科女学院に行かせて貰おうと思った。学校から受験調査票が来て文枝がその希望をいったとき、しまはあまりすまなさそうに、

「なんぼくらい要る？　そこは」

と訊き、文枝が、

「知らん。けんど女学校ほどやないと人がいいよる」

というと、しまは不承不承のていで、

「まあ仕方なかろ。行きたけりゃ」

と文枝の記入した調査票に判を押した。

文枝はあとで考えて、あのとき文枝自身の意志が働かなかったら、もう一人しか残ってはおらぬ娘の行末について、しまは親としてどんな考えを持っていたか、と思うと、それはきっと何にも持っていなかったに違いないという答えがたちどころに湧いて来る。そういえる根拠はさまざまあって、そのいちばん大きなものは、長女を娼妓に売ったほどのひとだから、という事実で、文枝の場合も多分、もう少し貧しかったらそうしたであろうという予測が生れて来るのであった。

この石立町の間貸し屋に越したときの、文枝の心のふくらみがだんだん萎み始めたのは、その間借り人たちの正体がそろそろ判りかけてきた頃からではなかったろうか。弘岡町も玄人の町だったけれど、向こうは曲りなりにも芸を売る芸者衆もいて、表面きれいに取繕う水商売の心意気があったのに、こちらは客取り専門の遊廓だけに、商売むき出しにして憚らないところがある。古びて狭いしまの貸し間は家賃も安く、家賃が安ければ、そこに住むひとも橋ひとつ隔てた北岸の玉水遊廓に働くひとのなかでも、いきおい最も実入りの少ないやり手とか二階回し、走り使いなどの男女が入って来ることになる。

二階には、半白の髪を毎日自分の手で丸髷（まるまげ）に結っているお仲さんと片腕に彫物のあ

る六さん、片方が牡蠣目の水仕のお玉さんが住み、二階の文枝たちの隣には海老腰になった助馬じいさんがいて、この四人とも大てい明けがた近くなって川向こうから戻って来る。ときには襖障子を破るなどの酔狂をしたり、酔ったまま七輪を抱え廻って、畳に焼焦げを作ったりなどは文枝には知らん顔でいられても、このひとたちが口にする言葉の露骨さには驚きを通り越していっそ恐ろしくさえあった。

このひとたちは符牒に指を使い、男が拇指女が小指、丸がお金で二本指が煙草といつも秘密めかした話ばかり、かと思えば、鉦叩きのお仲といわれるガラッ八のお仲さんが、ときどき家中に響き渡るほどの大声で、

「ゆんべはまあ、どういう風の吹廻しか船乗りさん一同が上っての大入り満員よ。花千代さんら一人で五人もあしろうて、腰が抜けそうやいうきに、あてでよかったらまだ二人や三人屁ともない、と助け舟に出るつもりしちょったら帳場のほうから断りやがった。お仲は下足さえ取りよりゃそれでええと。ねえ助馬じいさん」

と階段の上から呼びかけ、

「頭はゴマ塩でも、あてのお道具はまだまっ新や。生娘と同じこっちゃ。じいさん、あんたも馬力があるならいっぺん試してみんかね」

と胸が収まるまでえんえん続くこともある。

そういうとき、しまが立ってたしなめに行きもせず、ときには一緒になって薄笑い

しているのが文枝にはどれほど腹立たしいことだったか。その上、引越し直後、家賃のお釣りを持って上った文枝をつかまえてこのお仲さんが、

「文ちゃんよ。お前の姉ちゃんは評判の器量好しじゃとねえ」

と名代の地獄耳をひけらかしているうちに、

「この家を居抜きで買うたお銭は、姉ちゃんが大連とやらへ身売りしたときのお銭じゃそうな。おしまさんはええ娘持って大きな財産よ、果報もんよと弘岡町界隈では人が羨(うらや)んじょると」

とぶちまけた言葉は文枝の胸板を刺通すほどの効き目があった。

そうだったのか、と文枝は何となく抱き続けていた不審の塊が一時に解ける思いがし、同時にその辺りからしまをたまらなく不快に思うようになったことをありありと思い出す。不快感は、文枝が実科女学院の上級に進むにつれて次第に理屈が立って来、そういえばあの戸山老人もその方面の仕事をしているひと、とほぼ見当もつき、あの弘岡町のその日暮らしから、突然この家が買えた不思議が充分納得できてくるのであった。

間貸し屋を始めてからのしまは、これといった仕事もなくなったところからいつもほとんど家に居たが、文枝が学校から帰ると火鉢の脇でのどかに煙草など喫っているか、または掌で唇を叩いて大あくびのあと手枕で昼寝しているかで、そういう場を見

ると、

「呆れた母親。娘売ったお金でこの後生楽」

と口もききたくなくなってくる。

ともかくも女手ひとつで子を飢え死にもさせず育てたのだから、どんな生きかたをしようと文句のいえる筋合いではないとは思うものの、栄子を苦界に沈めた罪は一生許すことはできない、と文枝は以来ずっとひそかにしまを責続けてきたように思う。それというのも、間借り人の口と、学校の往帰りに通る玉水遊廓の風俗から推して、この世界がどんなに汚くみじめであるかが窺い知れ、たまたま首白粉で男を引く娼妓の姿を見かけると、そこに必ず栄子の姿が重なってひとりでに瞼が熱くなってくるのであった。

しまが若し栄子を売らなかったら、という仮説はいつも文枝にあり、売らなかったら栄子が大連に渡ることもなかったろうし、大高にめぐり会うことも結婚することもなく、そして第一、天津くんだりまで出かけてあの若さで死ぬこともなかった、と思いが経廻った挙句に文枝の怨みはいつもそこに行着く。それに文枝は、しまが自分のしたことに就いて深い反省を抱いていないらしいのも苛立たしく、思い返せばさまざまに不満は募って来る。もともとしまは感情の表現ができないひとだけれど、栄子の死の知らせを聞いたときも一時放心状態になりこそすれ、おいおい泣いて運命を怨む

でなく、文枝相手に愚痴のたけをぶっつけるでなく、文枝の目にはふだんとさして変わらぬ母親であったことを思い出す。その上いまになって腹立たしいのは、栄子の遺骨が届いた翌日、看護婦だというお使いのひとを案内して桂浜へ出かけたことで、留守番の文枝はひとりで線香を絶やさずじっと遺骨の番をしていたものであった。いくら遠路の使いだとはいえ、娘の遺骨を放ってまで深い義理もないその人を、何も市内見物までさせなくてもいいのに、と思えば、「お母ちゃんが姉ちゃんを思う気持は、うちが姉ちゃんを思う気持の半分にも足らん」とまで思いが走り、これが親だろうか、というはげしい言葉も口のなかに養うようになってくる。

それに、ひとつひとつ記憶を手繰れば栄子の死には謎がいっぱいからんでおり、元来手紙は書かないひとではあっても、天津生活二カ月のあいだ、何故一通の葉書でも寄越さなかったか、大きくて設備もよい陸軍病院で何故盲腸の病人一人くらい救えなかったか、栄子の家事落第ぶりを不服げに綴って来た大高が、何よりも肉親がそれを知りたがっている最期の状況を、何故詳細書いて寄越さなかったか、それにこれだけは如何なるいいわけも利かずこちらがいえるのは、何故遺骨を自分の手で故郷の土に埋めに来なかったか。またもうひとつつけ加えれば、栄子の死は悔まなくともこれは未練たっぷりにしまが口にする、

「栄子の着物はいったいどうなったかねえ。あの子は着物はどっさり拵えちょったき

に、天津へ五つ行李も荷を送り出したがねえ」

という遺品の件で、お使いの看護婦は遺骨以外栄子の簪一本預かって来ず、もちろん大高からその後も帯の一本送ってはこないのであった。

それに就いては文枝もときどき思う日もあり、「持物は主に似る」というたとえもあればせめて栄子の使った手鏡なりと欲しく、この家に残されてあるのは僅かに普段着の銘仙一枚では、姉の魂も戻りようがなかろうなどと考えたりもする。この青い銘仙を文枝は大事に大事に扱い、学校で袷の裁目のとき、自分の手で洗って板張りし、きれいに縫直してからは、折ふし手を通しては栄子をなつかしむ日もあった。こんな前後の事情を思い浮べていると、栄子の死は、あの鋭い目付きの冷酷そうな軍人大高光義の企んだ殺人事件に間違いないように考えられ、むざむざ餌食になった栄子のむごさを思うにつけ、この事件を事件とも見ぬ、しまの親としての不甲斐なさがたまらなくはがゆく思えてくるのであった。

文枝の娘時代は、いま思えば亡き栄子への愛惜と、母親に対する反発に充ち充ちていたような日々で、同級生に較べるとかなり陰気な子だったと自分でも思う。つとめて友達づきあいも避けていたのは、万一うちへ遊びに来られた場合、猥雑な間貸し人の雰囲気を知られるのが嫌だったし、何かの拍子に、二階のお仲さんの口から姉が娼妓だったことをバラされはしないかと恐れていたためもあった。玉水遊廓の娼妓たち

は自堕落で不潔でも、栄子だけは胸のうちにいつまでも気高く生きてあり、決して大袈裟でなくそれだけが文枝の青春の生甲斐だったといえようか。

その栄子像が少しずつ変形してきたのは、七月十日の高知市の大空襲で家も焼け、借地だった土地を地主に取上げられてしまえば母娘ともまた元のもくあみになり、あちこち貸し間を転々とした挙句、ようやく細々ながら文枝の洋裁で食べてゆけるようになった頃からだったように思う。実科女学院を終えた当座は、まだ家のなかはしまの天下で、まず手始めに近所のものの賃縫いを受合いだした文枝の収入などあてにもしないふうだったが、終戦後十年近くにもなれば二人の位置は完全に逆転し、しまは弱音を吐いて万事文枝の肩に凭りかかってくる。

それでも終戦当座のしまは、手巻きの煙草を作っては本町五丁目に立つヤミ市に持って行ったり、黒砂糖や芋焼酎の仲買いめいたこともしたり、気を張って働いている様子だったが、まもなく払い下げの軍服をオーバーなどに仕立て替える仕事を始めた文枝のそばで、安全剃刀を使って古着を解く作業を手伝うだけとなり、文枝がそこから手をひくと、以前の間貸し屋時代の何にもしないしまに戻ってしまった。

文枝は、まだ五十代の健康な体でいながら、娘の働きにだけぶら下るそういうしまを横目でみつつすごしているうち、自分でも口惜しいことにいつとはなし無能な母親に対する憐みに似た感情が勝ってくるのを思った。しまが一円の金も働き出さず、文

枝の取った金を持って米屋へ通う後ろ姿を見て、最初の頃は、女学院時代からの尾を引いた気持のままに、

「ふん、うちは不器量で、姉ちゃんのように女郎に売れんきに、せいぜい人の賃縫いでもさせて絞りあげる気や、あのひとは」

とむらむら来たのを覚えているが、その尖った思いは次第に老いの様相を見せて来るしまの前にだんだんと角がとれて来、

「手職のないひとはかわいそうなもんや」

と変わり、そして文枝が三十代を越した辺りから、しまはもう文枝の扶養家族以外の何者でもなくなってしまった。が、そのために文枝が結婚できなかったのかといえばそうとばかりもいえなく、釣合う縁に恵まれなかったのと、それに第一、自分の持つ容姿の劣等感から、腕におぼえの洋裁で一人身すぎしてゆくほうが苦がなくて済むと据えた了簡のせいもあった。文枝も正直いえば、人並みに幸福な結婚生活を夢みないわけではなかったけれど、心の底にはやはり威張り散らしていた大高と、行きとうない行きとうないといいながらも大高について行った栄子の、二人の結婚というかたちが染みついており、女の一人も、「えんどう（縁遠）豆の娘さん」とか、「火のない火鉢で触り手がない」など陰口をきかれる時期を超越してしまえば気持もずい分と落着いて来る。

文枝は、ずっと栄子の身の上に関してしまと話らしい話をした憶えはなかったが、それを問わず語りにしまのほうから折々口にするようになったのは、しまのほうも以前から栄子身売りの経緯に就いては弁解の言葉を溜めていたものであろう。二階借りの一間でわびしい夕飯のあと楊子を使いながら、あるときは文枝の預かった服地にアイロンを当てながら、またあるときは文枝に煙草代をねだったあとで、ぽろぽろと断片的にしまが話す栄子の姿は、文枝が抱き続けていた、欠けたところのない姉とは少しばかり違うものであった。しまは栄子の話のあといつも、

「あれはほんまに気無しの子やったからねえ」

とつけ加えるのを忘れず、ふわふわした気の無い性質だった故に泥沼の世界へ自ら入ったのだという。

小学校を終えた栄子が最初の料亭鶴亀楼の半玉(はんぎょく)になったきっかけは、弘岡町の町内の玄人(くろうと)筋から器量よしじゃといつも煽(おだ)てられ、将来芸妓になったらこれこれよ、といいことずくめの話を吹込まれ、直接には角の煙草屋の婆さんが手引きして鶴亀楼の抱え妓に入ったそうであった。しまはそのことに就いて、

「親のあたしに一言の相談もなく、暫く家に居らんと思うたらひょっこり桃割れに結うてうちへ戻り、お母ちゃんうち芸妓になったよ、とこうや。慌てふためいてもつまりはあとの祭やったねえ」

といい、聞いた文枝は即座に嘘ばっかり!!　娘が家から姿を消したのをすぐに捜さぬ親があるもんか、と思ったが、そのあとで、いいや、案外ほんとうかも知れん、とも思った。

栄子が数え年十四なら文枝は二つのはずで、その頃、家は乞食と見較べられるほどの貧乏だったのはまだ憶えてはいないものの、こんななかで子が一人行方不明になればしまは却って口減らしだと喜んでいたのではなかったろうか。ましてあとで行先も知れてみれば、それが泥棒や人殺しの仕事でなく、ちゃんと日々腹も張り、心がけ次第でいい世も送れる芸妓稼業だと判ってほっとした面もあったであろう。煙草屋の婆さんは繰返し、

「栄ちゃんはあんな器量じゃもの、じきええ旦那がついて落籍してもらえるよ。そうなりゃあんた一生左団扇や」

と慰めてくれたが、周囲の期待に反いて栄子は一向芸事に身を入れず、とうとうチンともツンとも三味線の弾けないまま、十五になって年が足ると躰だけが稼ぎの娼妓となって伊予の道後へ住替えて行った。

そのあとは半年から一、二年で関西四国の遊廓を渡り歩き、住替えの期間家へ戻っては四、五日滞在していたのは文枝も知っての通りだったが、しまはこの間の事情を、

「誰の前でもいえるけどねえ。住替えのたびに手に落ちる身代金を、あたしはただの

一円も受取ってはおらんよ。全部栄子が勝手に使うてしもうて、あたしが貰うたのは最後に大連へ行くときの、あの間貸し屋を買うた千円だけやったからね」

と栄子が人に較べて段違いに楽な勤めだったことを、言葉を強めて文枝にいう。

身売りというのは大てい親のための年季奉公で、自分の小遣いはもちろん、着物の一枚も持たずに勤めるのが普通だからそこに全く自由もないわけだが、栄子は手にする大枚でいつも好きなように着物を買い、褒められればすぐそれを人にくれてやる気前の良さもあって、どこでもいい評判を立てられ、客受けもよかったという。そういえば、たまに戻ってくる栄子の身装はいつも垢抜けていたし、懐もあたたかそうだった、と文枝はあの新世界で裁縫道具一式を買ってくれた日のことを思った。子供の頃、男の子から「姉がショウギ」だと囃されても、心のどこかで違う!! と首を振り、ひょっとそうかも知れんがそれでも姉ちゃんは違うところがある、と確信していたのは、栄子がみじめな雰囲気をちっとも身につけていないためかも知れなかった。借金に責めたてられて次第に堕ちてゆく娼妓のあわれさは、文字通り躰一本、裸のはだしで流れて行こうと、稼ぎ始めの晩から衣裳はすぐ貸して貰えたから、自分の荷を持って住替えする年季の娼妓は大へん珍しい例だという。それに栄子はしまに似て音曲の才がなく、ついに歌もうたえず舞いもまえなかったから、そういうところからもしまのいう「いつまでも素人くさい」匂いが抜けず、文枝の「違うところがある」確信も生れ

たのではなかったろうか。

　しまが初めて千円貰ったというのは、これも、大連は景気がええ、借金などすぐ無くなると人に吹込まれ、止めるしまを振切って一人でさっさと大連行きを決めてしまったのだといい、そのとき世話になった紹介人の戸山隆三が呆れて、

「儂も何十年この商いをやりよるが、身代金を一文も親に渡さず自分勝手に使う妓は初めてじゃ。陰にたちの悪い男が糸引いておりはせんじゃろか」

と疑い、それも別段ないと判っては、しまに親として娘を好き放題にさせておく不心得を懇々と説教したそうであった。

　このとき以来、しまは戸山老人を一の頼りとするようになり、戸山から栄子に、

「悪いことはいわん。あんたも一度は親孝行してお母さんにまとまったものを渡してやりなさい。そうすりゃお母さんも馴れぬ仲居の仕事から足が抜ける」

とすすめ、間貸し屋まで斡旋してくれたのも、栄子の取組金が三千円というあまり例を聞かない高額のためもあったことであろう。栄子は、この金のうち前任地大阪の借金の残り千二百円を払い、しまに千円を渡した余りでまたたくさんの衣裳を買込み、これは結局、五行李の荷となって大高の許へ運び込まれたまま戻ってはこぬものとなった。

　しまのこういう打明け話を、長い期間にわたってぽつぽつと聞いてゆきながら、文

枝は不思議にしまに対して若いときほど腹立たしい思いは湧いてこなかった。死人は口なしで、生きている者が自分に都合よくいいくるめるのはやさしいことだけれど、母親といえどももう何十年つき合っていれば、このひとが話を巧く組立てて、いま一家の主となった文枝の心を柔らげようとするような才覚などありもせぬのは判っている。むしろ自分に不利になっても、打明けたことで許してもらいたいとする気持はありありと読みとれ、もしこれが事実でないとしたら、それは解釈する側の違いかも知れないと文枝は思った。というのも、自分に対する栄子は非の打ちどころない姉ではあっても、他に向けた顔には子供の頃の自分が窺い知れぬものがあって不思議はない、と考えるほど文枝ももう年を喰っており、それに、手職もない子連れの後家だったしまの境涯に、いまとうとう行かず後家になろうとしている文枝が同情できる点もないではなかった。

いつであったか文枝はしまに、

「そんなら姉ちゃんという人は、小さいときから家のことも考えず、したい勝手した人やったんやねえ」

というと、

「まあ気無しやったからねえ、あの子は。人の口車に乗りやすいところがあった」

と沁々(しみじみ)というのを聞き、文枝は心のうちで、「ありなりのおしまさん、気無しの栄

子さんを笑う」と考えるとふっと可笑しかった。

それに、しまと文枝のあいだで了解が成立つのはいつも容貌に就いてであって、栄子が身は娼妓であっても人々に寿がれ、短い生涯ながら見た目にも楽しそうに送れたのに対し、しまも文枝も、取立てて面白いことのない色薄い人生なのを、これはひとえに二人とも不器量だったため、とするところがある。文枝も昔はまだ若さという救いがあったが、三十の声を聞いたあと、年が駆け足で過ぎてゆくようになった頃から鏡に向かってあきらめも出、しょせんしまとは先祖の血筋の悪いところばかりを分合った母娘でしかないと、気持の据わりもついて来ているのであった。

あの頃、弘岡町界隈では女の子が育てば芸妓になるのが当たり前であって、どの家でもそうしたし、むしろ文枝など、あれからずっとあの町にいたとしたら、かえって変わり者のようにまわりから見られたであろうとも考えられる。しまは、世変わりして身売りが親孝行から罪悪になってしまったいまになって、それを栄子自身の性格のようにいうけれど、あの時代のあの貧乏のなかで、栄子はそれより他進むべき道を知らず、また家に仕送りをしなかったのは、いまとなっては信じ難いことだけれど身代金は親を助けるもの、というこの世界の常識にさえ栄子は気づかずにいたのではなかったろうか。しまとても、かつて文枝が進学のとき、もし実科女学院希望でなく、

「二階のお仲さんがええとこやと勧めてくれるきに、うち川向こうの遊廓へ入りた

い」

などといい出せば、しまはあのとき進学調査書にしぶしぶ判をついたのと同じ調子で、

「そうかえ。そんなに行きたいもんなら仕方なかろ」

と案外軽く見過ごしてしまったのではないかとも考えられる。

ここら辺りが、人間すべて利口になった現代では考えられない、昔の女二人の生きかたというべきもので、そうなった原因はすべてあの頃の世相にあった、と思えばいちがいにしまばかり責められず、また文枝のうちの栄子の姿が満点から五十点に下がったとしても、それはそれで却って以前よりはもっと親しい感じであった。文枝の回想のなかで、長年胸に刺さっていた棘のひとつがこれで抜けたような感じがあり、気持も次第に和んできたが、もうひとつの大高殺人犯の疑いだけは年を経ても消すことが出来ず、折にふれ無念さが頭を持上げてくる。以前は、栄子の若死にと娼妓に堕ちた事情とがしっかり絡んでいたけれど、しまと栄子に対して気持も緩んでからは、殺人事件だけがくっきりと隈取りされたようになり、改めてさまざまの不審も起きて来るのであった。

しまは文枝の問いに答えて、あれほど嫌っていた大高と一緒になって栄子が遠い天津へ行かざるを得なかったのは、大連梅花楼における借金をすべて大高に払って貰っ

たためだといい、文枝はそれが合点できず、女郎じゃとて結婚相手の選択くらいは出来たはず、と反撃すればしまは子供に聞かせる昔ばなしのような調子で、

「落籍（ひか）された相手は成金の上客じゃもの。顔を潰すことなどできゃせんよ。しかも正妻にしてくれるというし。

梅花楼を引揚げて戻るときには、楼主から一同、皆栄子の福にあやかりたいというて、争うて栄子の持物をねだったというからねえ」

とのことで、文枝が、

「そうかねえ、そんなもんかねえ」

と不承不承にうなずくと、

「そんなもんよ。この世界は金のある人が勝ちじゃもの」

としまはいまだに仲居の経験でそう割切ってしまっているらしかった。

それにしても、と文枝はその頃の自分の目を懸命に身近く引きよせて、成金の軍人というけれど、大高は背広服で階級章などなかったし、何千円という借金を一度に払えるほどの高い位のひとなら、娼妓を身受けして正式結婚などできないはずではなかったろうか、と疑うだけの常識はある。またそれほどの金も地位もあるひとが、結婚式に自分の身内一人呼ばず、まるで拉致（らち）するような簡略な手続きで栄子を連去って行ったのもどうも辻褄が合わないし、たかが盲腸くらいで呆気なく死なせてしまったこ

とや、その後始末の無責任さも絶えず頭を離れないのであった。これを謎とみれば大高はいよいよ怪しく、あのとき、土佐出発後一カ月ほどして、栄子の主婦としての能力に不満を述べた手紙を寄越したことから考えると、大高は栄子が次第に厄介者になり、盲腸を装ってその実自分の手で殺したのではないか、とそこまで憶測が伸び、その伸びた憶測に対して、

「そうや、大高は軍人じゃきに人一人殺すのは造作もないことや」

とだんだん自分で真実性をつけ加えるようになってくる。文枝の疑いに対してしまは、

「そんなことはなかろうよ。大高は栄子に首ったけの様子じゃったもの」

とのんびり打消し、文枝がなおもしつこくその話題から離れないときには、

「まあ、テレビに出て来る刑事さんのようなことをいうて」

と人ごとのように笑っているが、文枝はそののどかさに対してだけは、忘れていたはずの怒りが瞬間噴きこぼれ、口にこそ出さないものの、

「あんたはそんな物知らずの鈍感女じゃきに、娘を殺されても平気でなんぼでも長生きできるのよ」

とせいいっぱいの侮蔑を視線に込めてしまをみつめたりする。

文枝が気持の上で少しは落着きも出来、「あきらめは心の養生」と悟りがついたの

は、日薬(ひぐすり)の故もあってたぶん三十代の終りか四十代にかけての頃ではなかったろうか。終戦時からもう二十年近くも経っており、そのあいだには文枝の仕事も、扱う布地の質がだんだんと良くなってきただけでなく、ミシンも足踏みの中古から新品の電動へ、それもシンガーの工業用を月賦でやっと買入れた頃であった。一間きりでのよなべ仕事は、しまの寝ている枕もとでミシンを踏まねばならないが、しまは養われている身で文句もいえず、

「初めのミシンはカッタン、カッタンいいよったね。つぎはガーガーいうて製材所のようやった。いまはザーという雨の降出しのときのような音じゃきに、ああ、洗濯物を取込まんならんと思いながらうとうと寝よる」

などという。

そんな他愛もないことを繰返し口にするようになったしまを見ていると、文枝は竹中の家で近い将来自分ひとりだけ後に残りそうな気配を感じ、以前から気になっていた墓所の件をしきりに考えるようになった。高知市の北山にある竹中の墓には、早くに死んだ父親と顔も知らない四人の兄姉、それに栄子を葬ってあるが、いずれも目印に石の饅頭があるだけで墓石はまだ建ててなく、普通なら亭主の墓は女房が、逆縁の場合なら親がその勤めを果たすべきところを、

「このひとはお墓でさえ自分はありなりで済ますつもりらしい」

と思い、一人身の娘が肩代わりしてそれをしなければならぬ不運を思うのであった。

考えてみれば、しまは亭主はもちろん栄子の法事も忘れ切っており、確か終戦の年の七回忌に、

「こんな時世には坊さんも居りやすまい。居っても空襲のなかをわざわざ来てくれるはずもなかろ」

と見送ってのちは十三回忌も二十五回忌も頭にない様子で、全く口にすることもなくずっと過ごして来ている。文枝の気持としては、栄子の墓だけでかんべんして貰いたいと思うけれど、仮にも父親たる人とおっつけ後から入るしまも退け者にはできず、そうなると年寄りの知恵でしまも珍しく身をのり出してきて、それなら皆一緒に納骨堂を作り、先祖代々の墓にしようといい、何度も算盤を弾いた末、ようやっと一番安い青石で小さなそれを作ることになった。文枝たちがいまの水源町でなく、確かまだ梅田町に二階借りしている頃で、有金はたいて墓を作る心細さにたびたび石屋に足を運び、彫文字も誂えでなく出来合いを、台石も一段でよろし、と細かく注文をつけたものであった。

　完成した墓を据えつける日は石屋の他に骨壺の掘起しなどに男手が必要だが、世間の狭い母娘が心やすくそれを頼めるひとがなく、思いあぐねているうち、しまが一晩ひょっこりと、戸山の兄さんの息子の敬太郎さんが居るはずや、栄子と縁も深いきに

頼み込んでみたら、という。文枝は、寝床のなかからミシンの上の自分を振仰いでそういうしまの顔を見たとき、ハッと心に閃くものがあった。戸山老人は終戦後ほどなく亡くなったが、しまより少し下の年恰好の敬太郎は戦前からずっと親の仕事を手伝っていて、ときどき石立町の家にも来てくれたし、栄子を大連まで連れて行ってくれたのもそのひとであった。以前から親に似ぬ遊び人、という評判だったが、紹介人の仕事は終戦と同時に無くなってしまったから、敬太郎は今他の仕事に就いているはずであり、日頃の引込思案の文枝なら「いまさら」と思う気持でためらったろうけれど、このときばかりは誰かに背中を押出されるような感じで自分から進んでその家を捜す気になった。

というのも、文枝の記憶にある大高の高知滞在期間、同年配の気やすさからか、大高が敬太郎とよく連立っていたのが目に見るように蘇って来たからで、いま高知で、大高のことを知っているのは頼りないしまを除いてこのひとより他ない、と気付いたためであった。何故もっと早く思い出さなんだ、と心がはやり、しまのいう、戸山老人の香奠返しの挨拶状には、住居は確かもとのままの四つ橋のはずやった、との言葉を信じてその場所を訪ねてみると、町の様子こそ変わっているものの、昔「紹介業、戸山」の看板の出ていたあとにはいま古びたアパートが建っており、階下の管理人室のブザーを押すと、どてら姿で出てきたそのひとが敬太郎であった。

文枝は運の良さを喜びながら自分の名を告げると、お互いに微かに見覚えの間柄ながら、敬太郎も文枝が思い起した程度には記憶を戻したらしく、愛想よく玄関わきの炬燵に招じ入れ、今までそこで見ていたらしいテレビのスイッチを切って、

「この地面が親父のものじゃったおかげで、一旦サラリーマンになった儂も定年後は昼間からテレビを見よれる身分で居れる」

といい、文枝が長いあいだの無音を詫びて「いま頃になって、とお思いでしょうが」といいわけすると、敬太郎はなんのなんの、と打消して、

「今の世は人情紙の如しじゃ。昔の縁をたよりに訪ねてきてくれるのは十人一人、いや百人一人かも知れん。お袋さん元気かね？」

と、いまだに以前の職業を思わせる人触りのよささとまめまめしさ、それにどこか玄人めいた身のこなしも匂わせる。

文枝は向かい合った敬太郎の、薄い頭髪、義歯の唇もと、老眼鏡を外すとすっと萎んだように見える目をひとつひとつまじまじと見つめながら、大高がもしいま、日本のどこかに生きていたらこの程度の老けようか、と思った。あの頃はまだ子供で、ただ居竦んで大高をみつめるだけだったけれど、いま敬太郎に巡り会えたようにふっと大高に出会うことができたら、訊きたいことは山ほどある、ぶっつけたい言葉も咽喉もとまで溜まっている、と文枝は少しばかり力んでいたかも知れぬと思う。死因に不

審がある、姉ちゃんはひょっと大高に殺されたのではあるまいか、という文枝の顔を今度は敬太郎のほうがじっと見つめながら、

「あんた巳年じゃろう？　蛇は執念深いねえ。あれはもうふた昔もそれ以上もの前の話じゃものねえ」

と呆れたふうな口調の下からも、懐旧談にふけるのも満更嫌そうでもなかったのは、景気のよい時代、外地向け専門の紹介業という仕事に携わっていて、たくさんいい目をみることの出来たそのせいもあったことであろう。それに、敬太郎が、

「儂には到底真似の出来ん芸当じゃが」

というように、父親の隆三は実に克明な生活日誌と営業記録をつけており、その一部が戦火を免れて手許に残っているのも、敬太郎の記憶を呼戻し易くしたこともあった。

奥に入った敬太郎は、やがて平手でそれをぱんぱんとはたきながら、表紙をさんざん紙魚の食荒らした一冊を持って出て来たが、暫くは文枝の前をも忘れ、

「ああそうじゃ。こういうこともあった。あ、これもそうじゃった」

と読みふけっていて気付き、

「竹中栄子が大高光義に落籍された経緯から遺骨が戻るまでは一切これに書いてある。が、これは単なる記録じゃきに、その余のことは儂がこれを見て思い出すより他ない

ねえ」

と昭和十四年一月初頭から大高の来高、十六日の挙式と天津出発、しまが見せた大高の書簡、栄子重体、危篤、死亡の知らせのあと、隆三が矢継早に出した遺骨催促の電報、手紙、やがてやっとそれが届いた五月初旬までを敬太郎は一枚一枚めくりながら、

「いまの時代に、あんたのような素人を前にして昔の様子を話しても、どれだけ判ってもらえるやら心もとないが」

と前置きして、専ら満州向けだった戸山の仕事は昭和十三年頃から十七、八年辺りまでが最盛期で、その頃敬太郎は芸妓娼妓を一度に十人も連れて行ったりし、大陸景気に湧いていた新京大連でしばしば豪遊したこともあったという。

満州に限らず、日本が武力で進出した大陸の都市は表面治安収まるかに見えても、裏に廻ればまだ妖気至るところに蠢いており、そこに住みつくにはそれなりの度胸が必要で、とくに裏表の多い水商売関係者は手練手管を使って濡れ手で粟の儲けも出来たそうであった。というのは、敬太郎自身もそのおこぼれにあずかっていたわけであり、大高とは最初の一瞥から、お互いに大陸暮らしの裏側を知っている者同士の無言の了解が成立ったという。二人は、大高が土佐へやって来たのが初対面だったが、よくない言葉でいえば同悪相助くというか、土佐滞在中は敬太郎が案内して公認の遊廓

などは素通りし、俗に松淵の座蒲団屋といわれる、五十銭銀貨一枚、座蒲団一枚で一時間遊べるもぐりの女郎屋や、博奕好きの楼主が内緒で開いている盆茣蓙などを毎日のように渡り遊んだそうであった。

短い時間ではあったが、遊び仲間の気易さからか或は敬太郎を同業と見たのか、大高はときどきふと自分の身の上話をし、聞くうち敬太郎はとても自分が肩を並べるような相手ではない、と思い始めたという。文枝は、妻となるべき栄子を迎えに来ていながら、軍人のくせによくもそんな不行跡を、と腹を立てたけれど、敬太郎の話によると大高の身分は軍人でなく軍属で、仕事は軍のスパイであった。昔は間諜のことを細作者といい、食いつめ者が金欲しさにやる仕事、と敬太郎などは思っていたが、大高はそれを敬太郎に明かすだけむしろ誇りらしいものを抱いていたらしい。本人は、南京攻略脇坂部隊の諜報活動に大功立てた故にいまの財をなしたというが、金沢生れの大高は小学校を出ると同時に故郷を離れ、二十歳の頃にはすでに百万円の金を持っていたというから、少年時代から人にはいえぬ裏道を歩いたものと推測して間違いないのではないだろうか。大高二十歳といえば、同い年のしまが四歳の栄子とその下の年子二人を抱えて、日に二十銭にもならぬ屋台を引いていた年で、その頃の百万円といえば長屋暮らしの人間にとって天にも届くほどの数の高さなのであった。

大高がスパイ活動を始めた動機も年齢も一切不明だが、考えられるのはそのずば抜

けた体力と、それに伴う度胸のよさを見込まれて軍に買われ、早くからそこで訓練を受けていたという見かたと、長いあいだ民間スパイのようなことをやっていて、南京攻略を機会に自ら軍に売って出たとする見かたがあり、もうひとつ踏込んで考えれば当時馬賊だった大高を、軍が大金摑ませて懐柔したということもあり得るという。日本に不景気風の吹荒れた昭和初年の頃、狭い日本を見限った血気盛んな若者たちは、大陸へ大陸へと草木もなびく気運に乗じて向こうに渡り、度胸のあるのは潔く馬賊の群れに身を投じる例も決して珍しくなかった。

　当時の風潮として、同じ盗賊でも大陸馬賊は緑林の王者とか、梁上の君子とか一種讃美のおもむきで呼ばれていたし、馬賊のなかでも自ら義賊を称えて軍に協力する集団もあったというから、大高の前身は多分この辺りと見当つけていいのではなかろうか。大高の中国語が北京標準語から満州語にまで精通していたことを思えば、今日や昨日大陸に渡ったものとは到底考えられず、満州建国以前の、馬賊たちの跳梁跋扈に任せていた満州北支（中国北部）方面で、幾多の危険と戦っていたことは容易に想像されるのであった。

　日本軍が南京を陥落させるまでの下工作は実に熾烈で難事業だったと大高はいい、情報を得るために中国の阿片常習者の仲間にも入り、スパイの疑いを解くためには片耳を切落したこともあるという。一仕事が終ると、阿片中毒者になった我が身から阿

片を抜取ってしまうときが死に勝る苦痛で、体力のない者はこのとき悶え死にしてしまうし、体力はあっても、入れられた一房のなかでコンクリートの壁をかきむしるため悉く生爪をはがして破傷風を起したりする。大高も敬太郎に両手を見せて、

「儂の手足二十本の爪はいく度も生え変ったものなんだ」

といっていたが、大高は爪ばかりでなく、苦しみのあまり頭髪を自分で全部引抜いてしまった故に、頭は異様ななめらかさであった。

右耳は、大高自らドジを踏んだ、といっていた通り、敵方に身分を暴かれ、あわや殺されそうになったとき、忠誠のしるしとして切取られたもので、

「青竜刀で一思いにスパッとやってくれりゃあ我慢も出来ようが、豚肉を切る庖丁で一寸刻みの五分試し」

その痛みを怺えるために右の犬歯を嚙砕いてしまったという。

耳殻の無くなった右耳については、普通ならそのままでべつに差障りもないが、スパイの世界で一旦「右耳の無い男」と目印をつけられたら後々の活動にも差支える故に、大高は万金を投じて精巧なゴム製の耳を造らせ、それを日常嵌めていたそうで、手を触れた敬太郎はその擬似耳の冷たさにこちらの心まで冷える思いであった。

これらは大高の受難のはなしだが、攻撃に出たときの彼は斬殺、銃殺、毒殺と相手に対してあらゆる手を使ったに違いなく、こういう武勇伝を、大高は自分の胆力がい

かに衆人に優れているかの証しとして敬太郎に打明け、

「まだもっと凄い話もいっぱいあるが、それはまたおいおい」

と気を持たせたそうであった。

貧乏はしても、生れて一度も修羅場に出会したことのない文枝はときどき胴震いするほどの思いで敬太郎の話を聞いていたが、正気で考えれば容易に信じ難いその内容をすぐ受入れられる気になったのは、あの大高の躰から発散していた研立(とぎた)ての鋼の香を思い出したためであった。アルパカの背広を着込み、素人らしく化けてはいても、日常槍ぶすまに立向かい、劒の山を越し、弾丸(たま)あられのなかをくぐる仕事を続けている男に戦闘臭がすぐ消えるわけもない、と思えば、栄子は果たしてそれを知っていて結婚したのかと、今さらながら訊糺(きさただ)したくなって来る。また逆にいえば、そういう剃(かみ)刀(そり)の刃の上を渡るような毎日を送っている男が、何故足手まといの栄子を連れて家を構えようとしたのかふと不審が湧き、敬太郎に訊いてみると、

「姉さんに惚れたのじゃろうね、大高は」

と一言でいい、

「おおかた大連の駅前で姉さんの写真を見て梅花楼へ上り、それから揚げづめに揚げてなおあきたらず、仕事に無理のかかるのを承知で女房にしたかったのと違うかねえ」

敬太郎の聞いたのは、その頃大高は食事の不摂生もあって全身疥癬に悩まされていたが、どの店に上っても妓たちから毛嫌いされるなかで、栄子の玉菊だけは少しも嫌がらなかったばかりか親身で介抱してくれたという。疥癬のかゆさは経験した者でなければ判らないが、一旦かゆくなると気が狂うほどますますかゆくなり、皮膚をかき破ってもまだ止まらず、そういうときは気を鎮め、患部を冷やして軽くその上を叩くと納まって来る。大高が夜なかに目を覚ますと栄子がいつもかゆいところをやさしく指先で叩いてくれており、大高は有難さうれしさのあまり、栄子が観音さまの生れ変わりとも見えたそうであった。敬太郎はわけ知りの口ぶりで、

「細作者も商売女と同じでね。相手に惚れたら商売にはならんが、大高も観音さんには参ったものと見える」

と笑ったが、文枝は瞬間、昔、女体観音の古びた軸に姉を重ね合わした自分を思い、栄子の心やさしさにふと胸の熱くなる感じであった。

敬太郎は再び隆三の日誌を繰りながら、当時栄子は、ミス大連の宣伝も利いて梅花楼の賽銭箱といわれるほどの売れっ妓だっただけに、楼主も僅か二カ月で落籍されるのを歓迎せず、栄子の借金を大きくふっかけて来たという。大高が土佐へやって来たのは、栄子に逃げられはせぬかと監視がてら迎えに来たのと、あと一つは隆三に頼んで栄子の借金の高を負けさせる交渉を頼むためであった。二十歳のときに百万円を持

っていた大高は、三十九歳のこのときはそれに数倍する財を貯えていたはずだったが、隆三の電報での交渉の、五十円百円の高にも細かい口をさし挟み、最後に二千五百円の手打ちとなったときもまだ不服そうであった。敬太郎の言葉では、女に大金を出すのは大高の信条に反するものだそうで、それを犯してまで財布の口を緩めたのは、大高が栄子に対して盲目になっていたとしか思えず、

「大高は若いときからさんざん安い銭で女と遊んで来たろうよ。あの遺骨を届けに来た看護婦という年増も多分大高のこれじゃったろう」

と小指を立て、ふだんろくに金もやってない故に、あのときあの女は大高から旅費も謝礼もちゃんと貰っていたにも拘らずこちらで二重奪りしたに違いないという。

文枝は思わず身をのり出し、

「それはほんまでしょうか。大高はケチやからあのひとに実際はやっぱりお金はやってなかったのやないでしょうか」

というと、敬太郎は可笑しそうに咽喉を鳴らせて笑いながら、

「看護婦とはいうてもやねえ。天津くんだりまで流れて行った年増がやねえ。空手で土佐まで行け、といわれて行くもんかね。大高もあのときばかりはたっぷり弾んだに違いあるまいよ」

というのを聞いて文枝は、目の前の敬太郎までが自分など覗いたこともない遠い世

界の人のように思えて来るのであった。

虚々実々、みんなしたたかな人ばかり、こんな様子ならやはり大高は栄子の生殺与奪をやすやすと握っていたに相違なく、敬太郎にも同意を求めるつもりで文枝が殺人事件を口にすると、これだけは証拠もないことではあり、敬太郎も慎重な口ぶりで、

「そうかも知れんが、そうでないかも知れん。詳細を知らせなんだことと、自分で遺骨を届けに来なんだことを考えると確かにうしろ暗いところはみえるし、それにもし殺人事件ではあってもあの大高ならなんぼでも隠す手はある」

と一旦肯定的になりながらも、やはり撥ねかえし、

「しかしやね、大高は姉さんに惚れちょった。あの勘定高い男が危ない橋を渡って貯込んだ金を割(さ)いて身受けまでした上に、土佐まで追いかけても来たよねえ。この事実を忘れたらいかん。まさか惚れた女を我が手にかけて殺したりはすまいよ」

「けんど戸山さん、可愛さ余って憎さ百倍ということもあります。姉ちゃんは家事が出来なんだし」

「いやいや、たとえそうであっても、姉さんは大枚二千五百円も払った女や。それならそれで生かしておいて元をとる方法を考えるじゃろう。一思いに殺すやいう損なことを、あの大高がするもんか」

と話しているうちに敬太郎は自分の言葉に自信を得たふうで、戦争中の華北の状況

は、敬太郎もまだ思い及ばない面もあったかも知れず、栄子の死について大高が正面切って申し開きのできぬところがあったにもせよ、これは決して殺人ではあるまい、というとおり病死か、間違っても過失死くらいやろ、といい切り、そして最後に、

「大高を弁護するわけやないが、大陸を放浪して長いこと家庭とは無縁やった男がやね。生れて初めて世帯持とうと思い定めて金まで払った女やろ。惚れてさえいなかったら大高は向こうですぐ姉さんを女郎屋へでも叩き売ったに違いなかろうよ」

というその言葉は、不思議に文枝の胸に薄荷のような清涼感を垂らして通って行った。

しまと二人でしか住まぬ古井戸の底で、文枝が考える男というものはすべて世間並みの線から出ないけれど、馬賊とも紛れ、人の忌むスパイの仕事に飛込んでまで富を得ようとする特殊な男の愛情の表現は、敬太郎のいうように女郎に叩き売らなかったことで最上と思わねばならぬ、のは真実かも知れぬ、と文枝は思った。裏返していえば、殺人も身売りも大高の身分では比較的容易だったと思える外地で、栄子を身売りさせなかった故に殺人でもなかった、という組立ても出来なくはなく、「大高が栄子にぞっこん惚れていた事実」から出発して昔の記憶を辿ってゆけば、あれほど濃く執拗に絡みついていた殺人事件の幻影が、次第次第に薄らいで来るのを文枝は感じる。

敬太郎に会うまで、栄子はその死に際まで大高を怨み身の不幸を嘆いていたもの、

と文枝は決めてかかっていたけれど、事実は案外なものであって、栄子は最後まで苦力に傅(かしず)かれた贅沢な生活の出来たのを感謝して死んでいったのかも知れぬ、とも思いが伸びて来る。文枝の想像がこんなに和んでふくらんで来たのは、あの時代と大高を知っていた敬太郎の言葉がよく納得されるものであり、それはこちらへ撥返って自分が如何にものを知らなかったかという驚きに繋って来るせいでもあった。

帰りみち文枝は、今日の仔細をしまに話そうかどうしようかと迷いながら暫く歩いたが、家に戻りついてみると結局は何もいわなかった。話しても答えは判っていて、文枝がもし、

「姉ちゃんむごい死にかたやったらしいよ。大高にいじめられて」

といえば必ず半ば聞えないふりをして、

「ふうん」

と横向くに決まっているし、反対に、

「姉ちゃん案外向こうで大高さんに大事にされたらしいねえ」

とい話を向ければ、

「そうよ、そうに決まっちょる」

と自分が先に安心したいための、肯定の態度に出るのは目に見えているからであった。

それに文枝は、敬太郎との話のあと何やらどっと疲れが出た感じがあり、その日は夜なべを休んで早く寝床につき、暗いなかでぼんやりと天井板を仰いでいると、雨上りの干し物から水蒸気が立昇るように、自分の躰から長いあいだの執念に似た思いがしきりに放出され、空に散ってゆくのが判った。大高への思いがきれいさっぱり無くなったというのではなく、未だ一抹の疑いは消えないが、男というものの得体の知れなさや、見たこともない外地の暮らしの妖しげな雰囲気に、自分の想像力で今さら分け入ってゆくだけの気力は消えており、すべて敬太郎の判断までで止まってしまった感があった。

それに、涙は一名己(おのれ)を知る雨、ということは誰に聞いた言葉だったか、文枝は栄子が天津生活二カ月のあいだ、毎日のように泣いて暮らしていはしなかったか、己を知る雨のなかで運命の根を辿り、竹中の家に生れた不しあわせを悔んでいなかったか、とずっと気にかかり続けて来たけれど、こちらの気持は別として男にしんそこ惚れられた身は、案外女としての充足感があったのではないかという気もして来るのであった。文枝などそれらしい経験も全くなく、自分でも情緒欠落などと嘆いてはいるものの、人に愛されるしあわせに対しては人一倍の深い憧憬を持っていると思うだけに、大高に固い信条まで犯させて結婚を決意させたほど愛された栄子を、それはそれでまた一面の幸福ともいえなくはあるまい、とも思われて来る。男女の話となると、未経

験だけに文枝の思いは萎靡(いび)してしまってさきへ伸びず、難しさ判らなさの前で仕方なし引返してしまうのであった。

昭和四十年二月一日の、竹中の墓地に納骨堂を据える日は朝から烈風枯枝を払う寒い日だったが、石屋の人足の他に、敬太郎が息子と孫とをひきつれて加勢に来てくれたおかげで作業は昼までに終り、ようやく骨も納めたあと近くの寺の僧に頼んで経を上げてもらった。朝からの風は大分凪いでいたが、墓地の上にさし交わす木々の枝はまだ小刻みに震え、そのあいだから透けてみえる空の青さを見ていると、文枝の胸に深い安堵が生れて来る。その安堵は、たとえ青石であれやっと一族の墓が建てられたということよりも、文枝にはやはり姉の栄子の骨を、落着くべきところに落着かせたということのほうが思いは深い。いってみれば顔も知らない父親や兄姉には、そこで栄子が一緒に眠ってもらうというだけの有難さで、もしいま栄子が生きてあったら、果して自分が墓所に手を入れる気持になったであろうかと思えるのであった。

読経のあと敬太郎が帰り仕度をしながら、この寒さの故に今日来られなかったしまの身を案じて、

「お母さんいくつになった？」

と訊いてくれ、文枝が六十五歳ですと答えると、敬太郎は先日の話の続きのつもりなのか、

「もう六十五にもなるかねえ」

と遠くを見るようにして、

「そんなら大高はもう多分この世にはおるまいろうよ。危険な職業じゃったし、もし生延びて終戦を迎えても無事に日本へ帰れたかどうか。それにああいう仕事は若いときから体に無理しちょるきに、普通の生活に戻っても人並み生きることが出来んと聞いた覚えがある」

と半ば独り言のように呟いた。

文枝はその言葉でまたひとつ、コツンと頭を打たれたような気がし、栄子の死以来、大高が死ぬなどみじんも思いみたことはなく、栄子が若死にしようと大高は無傷でいつまでも生きてあるもの、とひたすら考え続けていた自分の迂闊さを思った。いわれてみれば栄子の死の二年後、太平洋戦争にまで拡がったあの苛烈な戦況のなかで、大高の活動はますます困難になっていったろうし、終戦後の戦犯の探索もまたきびしいものだったことを思えば、大高の死は容易に想像されるのであった。文枝が、しまを詰問しながら大高への怨みを育てていったその頃には、大高はもうあの茫漠たる大陸のどこかの果てに屍（しかばね）を曝していたか、或はまた葬うひとあって、既にいずれかの日本人墓地の下に眠っていたかも知れず、そう思えば今日まで足かけ二十七年、大高の幻に向かってむらむらし続けていた自分の徒労が虚しいものに思われて来る。もちろ

んいずれは大高を捜し出して復讐を、などというなまぐさいことを計画していたわけでは決してないが、女は男のために短い生涯を終え、男はなおその財力にあかせていまなお人生を楽しみ続けている、と思い決めているところに文枝の気持の凝ってゆくばかりの根拠があった。

世間知らずの高枕、とはこのことで、自分の心のうちより他に目を向けたこともなく、しまを相手の長い退屈な暮らしのなかに、それだけを軸にして生きて来た感があり、その軸になる二人が二人とも、もうこの世を去っているという有力な仮説が現れればとたんに気も抜け、自分が単なる抜け殼のように思えて来る。万が一大高がどこかに生きてあっても、しまと同じか或はそれ以上の衰えようなら、自分の気持の塊をどうぶっつけようもないと思えば、これですべてご破算、栄子のことは結末がついたと気持を定めてよく、それは目の前の建てたばかりの墓石が自分に教えてくれたもの、と文枝は思った。

さき頃、敬太郎の話を聞いた夜は、文枝など手の届かない世界の不可解さに仕方なし身を引いた感じもあったけれど、今日この場所での気持の放散は底に安心という土台がある。きっと栄子は落着くべきところに落着き、親弟妹とともに今度こそ永遠の眠りに就くために、敬太郎の言葉を借りて文枝の胸を平らに宥(なだ)めてくれたのではなかったろうか。もうこれからは文枝の夢枕に立って、あの糸のように細い声で「天津へ

は行きとうない行きとうない」をささやくこともないだろうし、やさしい栄子はかえって文枝を慰めに、「もうすべて昔のことや。心配いらんよ」と小さな唇許に観音さまのような微笑を浮べてあらわれるかも知れなかった。

もうこれで思うことは何もない、と目を上げれば、巳年の自分の幻覚か、長い軽い蛇の抜け殻がついそこの木の枝にかかり、はたはたと風に吹かれているさまが見え、文枝は抜け殻になればなったでまた淋しいもんや、などと考えている。

あの日からちょうど十年、飛びつきやすい飽きやすいの土佐人に共通の気質らしく文枝はもうぱったりと、憑きものの落ちたように栄子のことは考えなくなっており、文枝が口にしなければもとよりしまからいい出すはずもなくなっている矢先、雨の夜の大高からの電話であった。

あの大高がまだ生きていて、しまよりもずっと元気な声で、この高知に突然あらわれたのは文枝にとって死人の蘇生と同じほどの驚きには違いなかったが、電話を貰って胸が大きく喘いでいるわりには切羽詰まった思いにまでは追込まれなかった。この十年、栄子のことを全く消し去った頭で、考える必要のあるものといえば、毎月のスタイル雑誌を精読して新しい裁断を勉強するだけであり、その余の時間は気の向いたように暮らして来ていて、これなら自分もひょっとありなりの二代目ではあるまいか、

と思うほどのんびりと過ごしている。五十の坂も近くなれば自分の能力の限界もはっきりと判り、それに日常にしまと似たところも出て来て、無趣味口下手、たまの休みには映画館へ行くぐらいの無刺激な暮らしのなかで近頃は体も肥る一方でいる。

ものの感度も鈍くなり、現状維持が何よりも楽だと知ったこの頃では、大高の電話をいまさら面倒な、と思う気持もないではなく、目を閉じたままのしまも多分同じ思いから聞えないふりを装っているのだろうと文枝は思った。電話ではさも親しそうに文枝、文枝、と自分を呼切りにし、この三十六年というもの一日も栄子のことを忘れた日はない、と涙声で訴えていたが、それにすぐ感応するほど文枝はもう栄子とは以前ほど密着しておらず、また当の栄子もあの北山の墓地で静かな眠りに就いているはずで、いまはこの家に栄子の名残らしいものも見当たらないのであった。いっそこのままで放っておこうかしらん、ともふと考えたが、あの大高のことなら強引に押しかけて来るに違いないし、それに敬太郎から聞かされた大高の経歴と、その後の生きかたに就いても、栄子のことを離れて無責任な好奇心も全くないとはいえなかった。

文枝はしまに何もいわず、いつものようにその傍に寝床をしいて横になったが、ふだんは蒲団の固さなど意識したこともない寝床が、この夜に限って寝返りのたびに綿の湿りが感じられ、当面考えなければならぬ問題から逃れてふと「この蒲団、いったい何年前に綿の打直ししたのかしらん」などととりとめもないことへ拡がってゆく。

夜も寝られないほど悩むような思いはここ十年ほど覚えがないだけに、文枝は自分がひどく興奮しているのが判った。考えてみればこちらは初めから終いまで被害者なのだから、突如現れた加害者に対して気を強く持っていいわけで、そう思って胸を撫でていると気分はいくらか鎮まって来る。

朝食のとき、牛乳とパンでしまの口を養ってやりながら、今日これから旅館へ大高に会いに行って来る、と文枝がいうと、このひとの苛立ったときのくせで口に差入れた匙にかちかちと歯を当てながら、しかし表情はさして驚いたふうでもなく、例によってはっきり聞きとれない言葉で、

「大高は、一人で来ちょるのかえ?」

と訊いた。一見呆けてはいてもしまの頭は世の常識からいえば文枝よりはまだ廻るらしく、入籍してなかったとはいえ、最初の女房の身内を尋ねて来るのに、その後当然結婚したものと考えるべきいまの女房同伴なのかどうかを心配しているのであった。

文枝は、

「そんなこと、うちが知るもんか」

と邪慳に振切ろうとしたが、しまは同い年の感覚からもうひとつ踏込んで、七十五歳でまだ大高が一人旅出来るかどうかを確かめたがっているのだと判り、

「一人か二人かは知らんが、電話の声はまだ若い衆のように張りがあったよ。あんた

も元気出して早う快(よ)うなりなさいや」

とわざと誇張していい、励ましてやった。

外は昨夜と打って変った切れ味のいい天気で、文枝はブラウスにスカートの軽装で電車に乗り、市中一といわれるその旅館前で下りたとき、小型の選挙カーが真黒に陽灼けした候補者を乗せ、同じ言葉を繰返しながら目の前を走り去るのを見送った。高知県では先頃亡くなった参議院議員の補欠選挙が近く行なわれることになっており、その騒音はときどきミシンの音を遮るほどにやかましいが、もとより文枝には関わりなく、約束どおり旅館のフロントに行って自分を名乗った。この旅館は鏡川べりに建っていて、六階のその和室に案内されて行く道すがら、対岸の筆山(ひつざん)の、柿若葉樟若葉、椎、樫などの若葉が燃立つような勢いを見せて窓に迫って来るのが見える。そういえば、栄子の遺骨が戻ったとき、桟橋から見える孕(はらみ)地区の山々もこんな色どりだった、と昔の感覚も少しずつ戻りはじめ、今日があの頃と同じく立夏を過ぎたばかりの五月上旬であることを思った。

ドアをあけたとき、真先に目に入ったのは、床柱を背にした赧(あか)ら顔の大入道が数えている夥(おびただ)しい札束で、よく見ると、縮みの白シャツステテコ姿であぐらをかいている大高の廻りに、その札束は高く低く乱れ散っているばかりでなく、すぐそばのぱっくりと口を開いたトランクのなかにも札束は帯をしたままギッシリと二列横隊で詰ま

っているのであった。大高は、入口でためらっている文枝を目をあげて見つめ、

「やあ、文枝か」

といったきり一呼吸の沈黙を置いて、

「お前、栄子とは似ても似つかん器量だなあ。そんなだったら町で会っても判りゃしないよ」

とつけつけいい、膝をついて這いまわりながら札束を片付けてのち、文枝を座卓の前に誘った。

入口からいきなり不器量者、と浴びせられたとき、文枝は何故かふっと可笑しくなり、思わず白い歯を見せたところ、大高もそれに蹤いてにやりと笑った。あとから思えば、格別可笑しくもないのに何故笑ったか、と悔まれるけれど、たぶん文枝は大高を鵺とも蠍とも敬太郎に聞いてからひそかに抱いていた多少の恐怖感と、また自分だけはありなりでも気無しでもなく、多少なりとも骨があるところを見せたさもあってかなり気負っていたに違いなく、その気負いを、こそばゆいところをすっと擽られた感じで挫かれてしまったのだと思った。もうひとつ勘ぐれば、大高が昨夜からわざと馴れ馴れしそうに振舞うのは、後ろめたさを隠すための空威張りであって、本心はしまや文枝に詰られるのを恐れていたせいもあったかと思われる。

ともあれ、この場合互いに笑い合ったことで話しやすくなったのは確かで、向かい

合って見る大高の顔は、昔、子供の文枝にそれだけが強い印象となって残っている鋭い目がいまは老人らしく凹み、やや鈍磨した感じになっているものの、やはりその目が物語る顔付きは尋常一筋でない男を思わせる。てらてらの頭、右は作りものだと聞く大きな耳、肩から上膊にかけての筋肉は以前通り土方のように盛上っていて、もしその舌をひきずるしゃべりかたと動作の鈍ささえなければ、まだ壮年の男子とも間違われそうに見える。

三十六年前、文枝はまだ相手にもならない子供だったが、その子供の記憶に己の姿がどれだけの濃さで映っていたものやら大高はその点にこだわっているものと見え、一別以来の文枝たちの消息を先ずしきりと訊糺そうとする。が、文枝の答えは「年を取りましたが母もどうやら生きております」ことと、「学校を出てからずっと洋裁で生計を立てております」のふたつしかなく、それをしつこく根問いしたあとは大高はまた昨夜の電話と同じ内容に戻り、文枝の家の電話番号を如何に苦心して捜し出したかを繰返すのを聞いて、このくどくどしさは老人特有のものか、それともやはり昔話はしたくないのかと疑い、文枝のほうから切込んで、

「大高さん、いまはどんなお仕事をしておいでですか」

というと大高は一瞬真赧になって、

「大高さんとは何だ。兄さんといわんか」

と声を大きくしたが、それが見せかけだけの証拠にすぐ目を小さく萎ませながらよいしょ、と立ち、洋服箪笥のなかから背広の上衣を取出してきてポケットの名刺入れを探った。文枝は職業柄、その背広が高知では何着と見ないほど極上の舶来品であるのを見、またその衿に議員バッジによく似た臙脂の菊の紋章の留めてあるのを見て、「ひょっと代議士?」と首を傾げたが、渡された名刺の肩書きには東京都教誨師協会理事、と刷込んであり、裏には細かい字でたくさんの会社の役員名を並べてあった。

大高は誇らしそうに、

「儂は何でも出来るから、いつの時代でも食うには困らんのだよ」

といい、一時は昔取った杵柄で飛行機乗りに返り咲いたりもしたが、いまは欲しいだけ金も手に入れた故にいくつもの会社の社長業よりも、刑務所の受刑者たちに説教してまわる教誨師としての仕事に力を入れているそうであった。

文枝には、この世に教誨師という仕事があったのかさえ初耳だが、社会奉仕なら他にもいろいろあるのにとくに受刑者に接触する仕事を選んだというのは、そこにやはり大高の前身と絡む何かの曰くがあるのかと思った。文枝が話を聞きながら床の間のトランクにちらと目をやると大高もそちらに視線を移しながら、

「あの金か。あの金はほらこの十二日にこちらで参議院の補欠選挙があるだろう。その資金だ。教誨師は法務省だから応援する候補者はずっと前から決まっていたがね」

と文枝にはよく判らない話をし、そして手を伸ばしてその札束のなかから一枚を抜出して文枝の前に押しやり、

「ほら土産代わりだ。遠慮は要らん」

と言ったあとで、現在自分の住む家は人から目黒御殿と呼ばれていることや、さきごろ那須の別荘に泥棒が入り、時価三千万円以上もする古い壺や漆器の類を盗まれたことや、或はまた、どこまでほんとうかは判らないが、高額の税金対策として、

「いま一億以上の金があれば儂に持って来なさい。儂から○○党に話して全額政治献金の領収を貰ってやる。その実、金は十分の一ほど党へ納めてやりゃあいいがね。こうすりゃ税金なんて一文も払わなくて済む。頭使わんと金は貯まらんよ」

などと文枝には縁遠い、しかし小悪事の一つもせず過ごして来た人間にとっては、胸もとの悪くなるような話を平気でこぼしたりする。

文枝は、心ひそかに「大高はまだ昔の続きでいるつもりなんや」と思い、それはあの石立町の家へ豪華なシューバを着込んでやって来たときと同じように、貧しい母娘を大威張りで救済するつもりでいるに相違なく、あのとき文枝はまだ子供でよくは判らなかったが、いまは大高の生きかたのあざとさがかなりあざやかに見えて来る。大高はきっと、戦時中軍に取入って一財産作ったように、戦後は政治家の手先となって世の抜け道抜け道を伝って歩いて来たことと思われ、教誨師の仕事というのも、やは

り戦前戦後を通じて自分の犯した罪に対する葬いの行為以外ではないように考えられる。こういう大高に接していると、文枝のうちに眠っていたものが一時に起上って来る感じがあり、このひとの話はさっきから井戸の縁をぐるぐる廻っているだけや、肝腎の話はひとつもせん、と目の前の万札を押返し、

「亡くなった戸山のおじさんがずっと日誌をつけておりましてね。いまの戸山の兄さんからその昭和十四年のぶんを、うち見せて貰いました。このお金はそのときのお話を聞いてから頂くかどうか決めたいと思います」

と思い切って踏込むと、大高の表情はみるみるうちに歪み、

「そうか、戸山は日誌をつけとったのか」

と明らかに痛いところを衝かれた驚きを見せ、暫くは大きな鼻息をついているのであった。

とすると、もし日誌がなければ巧くいい繕うつもりだったのか、という文枝の反撃を察したのか、

「栄子の骨を、儂の手で埋葬してやれなかったのは残念だったと今でも思っておる」

と眉尻を垂れ、一瞬殊勝な表情を見せたがすぐ立直り、

「あの頃儂は仕事がやみくも忙しくてなあ」

と今までと打って変わった低い小さな声で「こういう事情だったんだ」と話し始め

たのは、一月に土佐を発った二人は、万物凍るという酷寒の天津三島街のアパートに新世帯を持ったが、大高は軍務が忙しくて家にゆっくりと落着く暇もなく、その日も腹痛を訴える栄子を天津陸軍病院に入れるのがやっとで、すぐ任務地の山海関(さんかいかん)へ発たねばならなかったという。当たり腹ぐらいに考えていた大高はこの山海関の宿舎で、栄子が盲腸と診断され即刻手術、の電話を受取ったが、翌々日また重体の知らせが追いかけて来、取るものも取敢ず軍のトラックに便乗して戻ってみると、栄子の意識はもう全く失われ、大高の顔を見ても虚ろな目をあげて軍歌〝戦友〟の一ふしをきれぎれに歌っているだけであった。手術は成功だったが、雇っていた付添いが少し足りないひとで、まだ抜糸も済まないうちにカレーライスを食べさせたのが死を招いた原因だったという。

これが、三十六年という長い年月の果て、ようやっと大高の口から聞くことの出来た姉栄子の最期の様子のすべてであった。

こちらの怨みの量(かさ)に較べ、その呆気なさに気抜けするような感じを持ったものの、しかししっかりと息を詰めて聞いていた文枝は、死の床で〝戦友〟をうたったという姉の姿に胸が迫り、思わず熱いものがせき上げて来て止めることが出来なかった。白いシーツのベッドの上に長い黒髪を乱したまま、歌も舞いも得意でない栄子が口ずさむのは決して「友は野末の石の下」の戦友を弔う歌ではなく、

「ここはお国を何百里、
離れて遠き満州の」

という国を恋うただ二行の文句だけだったに違いなく、栄子のからっぽになってしまった頭脳のなかに、土佐への望郷の思いだけがなお生き、ひたすら燃続けているのを、もはやいかなる凶悪な病魔も消し去ることは出来なかったのではなかろうか、と思い、

「姉ちゃんなんぼか帰りたかったろう。同じ死ぬなら、姉ちゃんの身銭で買うた石立町のあの間貸し屋で死にたかったろう」

と考えると文枝はこらえ切れず、テーブルの上に顔を伏せて子供のように泣きじゃくった。

今にして思えば天津へは行きとうない、といい続けた栄子には、死の予感めいたものもなかったとはいえず、渡津して死に至る二カ月のあいだ、栄子の目に映るものは珍しい異国風景ではなく、雨に濡れてしっとりと光る日本の瓦屋根や蜘蛛の這っている雪隠、笹の葉にお福を吊した露店の並ぶ大黒さんの宵宮、それにひょっと、最後の手伝いとなった障子洗いの、あの澄切った鏡川の流れなどではなかったろうか。

「姉ちゃん、それならそれで何故逃帰ってこなんだ？　気無しというてもあんまりや」

と詰っているかたわら、大高に向かっては、

「あんたはお金も仰山持っちょる人じゃのに、そんなバカな付添い婦しか雇えなんだのですか。第一、知人の一人もおらん土地で手術をするという姉ちゃんのそばに、どうしてついておってやれなんだのですか。大体、あんたは姉ちゃんをちっとも大事にしなかった。言葉の通じん苦力(クーリー)ばっかし何人あてがっても、姉ちゃんの本心は淋しゅうて辛うて、いっつも悲しかったんや。罪償いに遺骨でも持って帰ればこそ、手紙一本寄越さんといて、何が三十六年ぶりや。何が一日も栄子を忘れなんだ、や」

いまこそ栄子に代わって怨みのたけをぶっつけてやる、と思いながらもその言葉は一言も文枝の唇からは外に出ず、出るものはとめどもなくなった涙だけであった。滾(たぎ)って来る気持の裏で、いまさらどんなに怒り狂っても死んだ者が生返るわけでなし、という虚しさがそれに水をかけ、同時に手足の先から体中の力が抜去ってゆくような悲しさがやって来る。唯一の救いは、栄子が苦しまずに息を引取ったことで、最後に意識を失ったのは看取ってやれなかった身内の者には僅かな慰めであった。きっと栄子は、短時日の患いだったために窶(やつ)れもせず衰えもせず、藹々(あいあい)としたやさしい観音さまのような顔のままあの世へ行ったと思うと、文枝は悲しいなかにもふと一筋の安堵があった。以前は、大高の口から様子を聞くときは栄子のいった言葉のすべて、そのとき着ていた着物、病院の様子、後の始末に至るまでじかに目に見るようにきっ

ちりと話して貰わなくてはすまぬ、と思い詰めた日もあったが、いま文枝は大高の大ざっぱな報告をすべてそのまま信じようと思い、そして納得しようと思った。或はひょっと、事実から今日の報告までの長い期間のあいだに、それは大高が周到に作り上げた嘘かも知れなかったが、たとえ嘘にしろ、死に際に苦しまず、安らかに昇天したという話を作ってくれたことに対し、少なくともこれ以上の詮索はやめていいと文枝は思った。瑠璃は脆いというけれど、一旦手術は成功していながら死を免れ得なかったのは、しょせん薄命は持って生れた栄子の運命、と胸を宥めるより他仕方ないと思うのであった。

話しているうちに昼が来て大高は部屋へカレーライスを取り、二人頭をくっつけるようにして匙の音をさせていると、互いに昔の一時期を知っている者同士の奇妙な馴れも生れ、その和らいだ雰囲気のなかで大高はごく何気なし、という切出しかたで、

「実は文枝、お前とお母さんに会わせたい人があるんだ」

今度の旅行には連れて来なかったんだが、と語り始めたいまの身の上は、たったいま栄子の最期を聞いてまだ涙を拭っている文枝にとっては、受けつける余地もないようなものであった。

大高が中国引揚げ後、土浦の飛行隊にいるとき原因不明の奇病に罹り、そのとき助けられた女医と戸籍上最初の結婚をしたのが四十七歳のときで、以後ずっと続いては

いるが、妻は理性的な女で情に乏しく、結婚生活はいまも決してあたたかではないこと、そういう事情もあって栄子のことはやはり一日も忘れられず、いくつか社主を兼ねている会社の女事務員募集の目安をいつもひそかに栄子のような女に置き、そのたびに失望してはまたはかない望みをつないでいるうち、いまから八年前の春、顔かたちから体つきまで栄子と寸分違わぬ、しかも栄子の死んだ年とおなじく二十二歳の宮崎麻子を見出したとき、大高は我を忘れて狂喜したという。これぞ栄子が再びこの世に生れ変わり、自分との契りを深めるために目の前に現れたもの、と信じ、以後ずっと手塩にかけ、雰囲気まで栄子そっくりに育てあげた、という言葉のあいまには、

「そりゃよう似とるよ。儂はいまでもこれが栄子やと思うとる」

と自分で感嘆詞を挟みながら、栄子は蜘蛛が嫌いだったろう？　麻子にも蜘蛛には触るなと教えてある、また栄子は青い色の着物が好きだったから麻子にも儂は青ばかり買って来て着せとるんだ、といい、人には笑顔でものをいえ、動作は鷹揚に、と栄子そのままに躾る苦心談を語り、

「どうだろう？　麻子を栄子の身代わりと思うてくれるなら、お母さんの孝行をしにときどきこちらへ寄越してもいいし、お前だって一人なんだから、行末姉妹としての付合いをしてみるのも悪くはないだろうが」

という話なのであった。

聞いているうち、熱を込めて語る大高とは反対に、文枝の気持は坂道を下ってゆくばかりであった。こちら側が晴れやらぬ疑いを抱いていると知りつつ、厚い歳月の壁を破って自分から現れたと思えばこそ、さきほどの告白を真実と受取ったのに、主目的が麻子のことだったとはこれこそしまのよくいう「頭巾と見せて頬被り」以外の何ものでもないような思いがする。大高はぬけぬけと、

「二十二歳の麻子に出会ったときから、儂は栄子と結婚した三十九歳の昔に戻ったよ。それ以来年は取らんことに決めてある」

というが、この話は要するに、女房と巧く行かない老年の好色男が自分の会社の事務員に手をつけて妾にしただけのことであって、それに若い日、何やら釈然とせぬ事情で死なせた女房を重ね合わせて勝手な理屈をつけているだけだと文枝は思った。大高はしきりに、

「麻子を見ていると、世の中には不思議なこともあるもんだとつくづく思うよ」

とそればかりをいい止めないが、竹中の家に県外人の血が混っている話など文枝は昔から聞いておらず、東京生れだという宮崎麻子という人が、土佐生れの竹中栄子にそっくりだという荒唐無稽な話には真面目な相槌は打てなかった。

大高はきっと、選挙のために人の費用で土佐へやって来、ことのついでに昔を思いだして電話してきたものとしか考えられず、そう考えていると昔、このひとが「女郎

買いのぬかみそ汁」と鼻をつままれていたことや、いまも自分から巨億だという財力をひけらかしたあとで、トランクからたった一枚の札を出して尊大に差出したことなど思い合わされ、文枝はこれ以上ここにいると、きっと昔よりさらにきつく大高を憎むようになる、と思った。栄子の最期が聞けただけで上等や、と思い、帰り仕度を始めると大高は慌てて、昨夜電話で戸山敬太郎から墓の件を聞いたといい、

「いまからお前と二人で栄子の墓詣りをしよう、と考えていたところなんだ。車呼ぼう。案内頼むよ」

と引止める。

文枝は、麻子とやらの話を聞いたあとではとうていそんな気になれず、家に一人置いてあるしまの昼食のことも気がかりでその旨言って断ると、大高はあきらめず、

「明日は選挙の用と夕方には飛行機に乗らんならん」といい、いく度かの押問答の末、

「ま、これからは長い付合いになるだろうから今日に限ったことはないわ。そのうち麻子を寄越すからな」

と自分から打切った。

ほんとうは、大高が長い間音信もなく、まして栄子の墓石代さえ送って来なかったことに対し、針一本の女の細腕で自分が建てた石塔を見せつけたい気持は強く動いたが、しかし土の下の栄子は、自分の替玉などを作ってしらじらしく墓参に来る大高を、

決して許しはしないだろうという固い思いが文枝にはあった。

部屋を出るとき、大高はテーブルの上の一万円に目をやって、

「おい、忘れとるよ、土産」

といったが文枝は、

「ええ、またつぎに」

と取合わず、大高が大儀そうに立上って取って来て押しつけたときも、

「要りません、ほんとに結構です」

と両手を後ろに廻して受取らなかった。

「お前はずい分変わっとる。器量ばかりか心まで栄子とまるきり反対だ」

という大高の声を後ろに聞いて文枝は急ぎ足で旅館を出て来たが、家に帰って栄子の最期は話しても宮崎麻子のことはしまには決していうまいと思った。

好き嫌いでいえば、麻子の話は文枝が日頃からバカバカしいと軽蔑している部類に入るもので、それを、もう色気などかけらも無くしたしまと同い年の大高が、臆しもせず口にするところに生理的な嫌悪がある。昔からしまは文枝のことを、火水土石木と人間の性分のあるなかで、お前は石性やとよくいうけれど、石性故に一人暮らしの防衛も成立って来たし、また麻子の話を聞いて嫌だと感じるのは案外世間にも通じる感覚ではないかと思う。スパイは本名でなく番号で呼ばれるという話を聞いたことが

あるが、大高も長いあいだの職業が育てた感覚から、いつも相手の人間を物、としか見ては来なかったのではないだろうか。

とくに女に対してそれが強く、栄子の心を推計るこまやかさもなく強引に結婚して任地にまで連れてゆき、いままたその身代わりを妾に囲うのは、ショウウインドのなかに欲しいものを見つけてそれを買い、毀れて使えなくなればまた似たものに買替える心理と同じもので、その奥には金を過信する男のいやらしさを感じるのであった。

それに、黙って身代わりにされている麻子という人も人で、二十二歳から三十歳の今日まで、何の疑いも抱かず老人の妾となり果てているのかと思うと、一人で働き通して来た文枝には不可解というより他ないと考えられる。文枝の三十歳は、年々凭れかかって来るしまの重みにそろそろ生涯独身の臍を固めかけていた頃で、こんな自分に妾の話などありもすまいが、もし何かの間違いでそういう誘いが降って湧いたとしても、やはり自分は働き者の土佐女らしく、毎日ミシンを踏んで、我が口は我が手で充たす道を取るだろうと文枝は思うのであった。

それにしても、東京とは不思議なところよ、と文枝は大高と別れたあと、よく思った。高知の街で巨億の金を貯めている人は皆有名人なのに、東京では三千万円もする財物が盗まれても新聞にも載らず、また高額所得者に名の出ているのも見たことはないし、それに父親とはいわず祖父とも紛うほどの老人の、昔の愛人の身代わりとして

甘んじている現代娘がいるのも、土佐のいまの文枝の暮らしからは考えられないものであった。

が、もとよりもうそれを詮索する気などあるはずもなく、その日、大高の旅館から戻ると真先に仏壇の掃除をし、花も久し振りに生替えて栄子の写真に手を合わせたが、大高のことはその日限りで思い出したくもなかったし、また自分から思い出すということもなかった。しまには栄子の最期をかいつまんで話してやったところそれには格別の反応も示さず、ただ文枝が大高の差出した一万円を押返したという話には一瞬目を上げて、

「何故ね？」

と詰るようにいっただけであった。

そのあとしまはいつものように横になり、暫くして文枝がその寝顔をミシンの上から見下ろすと、閉じた瞼がぴくぴくと動いているのが判った。お母ちゃんも心のうちでは姉ちゃんを思うて泣きよるのや、と文枝もふとまた涙を誘われかけたが、待てよ、とそれを踏みこらえたのはこの頃のしまの、年金さえ枕の下に隠すほどの金への執着ぶりで、きっとしまは内心、

「そのお銭、あたしへのお土産やろ？　何故貰わなんだ？　何故断った？　余計なことして」

と文枝を叱っているのかも知れず、そう思うとしまの年寄り呆けに付合うのもあほらしい思いがして文枝はまたミシンのハンドルを勢いよく始動させるのであった。

この件は文枝のほうでは忘れていても、大高は別れ際、捨て科白のように言った、「これからは長い付合いになるだろうからな」の言葉通り、一カ月もすると今度は東京からときどき電話をかけて来るようになった。電話は、長話もあれば時候見舞ですぐ切るときもあり、最初は、

「お母さんの具合、どんなかね？」

だけに絞っていたものがだんだん踏込んで来て、それが目標の宮崎麻子を電話口に出すようになったのは、通話を始めて五、六回目頃からだったろうか。

最初文枝は、大高からのベルが鳴るたび、「ああ嫌」と思い、やれやれと受話器を取っていたものが、いつも「文枝か、文枝か」と呼切りにされ、さも兄妹らしく話しかけられているうち、いつのまにか大高に対し警戒の気持が薄らいで来るのが自分でも判った。考えてみれば、身内の少ない文枝が頭から呼切りにされるのは、いまやろくに口のきけないしまを除いては大高ひとりになっており、それは仔猫の名を呼続けて馴らすような、不思議な効果を文枝の心にもたらすもののようであった。

文枝は黒い受話器の向こうから響いて来るその麻子の、

「私、大高先生からご紹介を頂きました秘書の宮崎麻子でございます」

という第一声を聞いたときの、胸の底まで一瞬沁通った感じをいまもありありと耳に呼戻すことが出来る。大高がどんなに力説しようと自分には縁なき人、と思い、もう一歩心を割れば怠けものの現代娘としか見られなかった大高の愛人が、意外にしっとりと思い入れ深いさまで呼びかけて来たのは、文枝の平凡な人生のなかでいく度とはない驚きだったということができようか。

麻子は東京弁、栄子は方々流れ歩いた関係で土佐弁とちゃんぽんの関西弁、アクセントも全く正反対だが、麻子の声には文枝の胸の底に澱んでいる、あるなつかしいものを掻立てるような奇妙な魔力がある、と文枝は思った。天津に発って行った栄子と別れて以来、文枝がどんなに心のうちに栄子の姿を鮮やかに描こうと、そこに声という現実味のある響きはすっかり忘れていただけに、麻子の声を聞くと涙の滲むような思いがふわりと胸に拡がり、文枝はその声に手繰り寄せられるようにいつも夢中で受話器を握っている自分に気付く。栄子即ち麻子とはいえないが、少なくとも耳に残る余韻から思えば質はよく似ており、それに麻子の言葉遣いはいつも丁重で、そちらのお母さま、亡き栄子お姉さま、文枝お姉さまと呼ぶだけでなく、大高のことに就いても敬語を遣い、それはいつの場合でも決して崩さないのであった。

文枝は電話が麻子に代わると、一語も聞洩らすまいと緊張し、そして気がついて、

「へっ、うちのことを文枝お姉さまだと」

と、生れて一度も人にさま付けで呼ばれたことのないのを自分の方で茶化し、麻子に傾いてゆこうとする興味をわざと削ごうとしてみたりする。電話のやりとりが重なるうちに、麻子のアパートは大高の家のすぐ近くの恵比寿にあることや、大高に教誨師の仕事のない日は毎日歩いて十分ほどの麻子の許へやって来、そこで昼を食べてゆっくりしてのち夕方家に帰ること、そして麻子のことは本妻公認の存在であることなどだんだん文枝にも判って来る。

麻子は電話ばかりでなく、余暇には習字をやっているというきれいな筆の手蹟で手紙も寄越すようになり、それに対して悪筆の文枝は返事の書きようもなかったが、明らさまにそんな詫び事もいえるだけ親しさも増して来るようであった。文枝はいつのまにか、一週に一度、十日に一度の東京からの電話を心待ちしている自分に驚くことがあり、殊に、しまが風邪を引いたり、呆けようがひどかったりするときは身寄りのない身の上から「知らぬ神より馴染みの鬼」ということもある、などと自分にいいわけし、せめて大高なり麻子なりにそれを訴えたくなっている近頃の心弱りを思うのであった。

ただ、電話はいつも決まって昼間、麻子の家からであり、夜八時過ぎれば料金も安くなるのに決してこの時間に鳴らないのは、それが明らかに麻子自身の意志ではないことを文枝に感じさせる。ダイヤルは麻子の指先で廻しても、それを命じるのは大高

であり、大高の指図がなければ葉書一枚麻子が書かないのも次第に判って来る。なつかしい声に惹かれてふっと麻子の上に思いが走るとき、文枝は歯止めの道具としていつも大高という男の不可解さを考える。軍のスパイという超人的な任務に就き、水火を踏んで戦った性格は、戦後もなお権謀術数のなかに生きて出所の知れない富を築いているひとなら、この上何かを企んでいはしないか、と文枝はいつも心を引戻す。麻子の声がどんなに美しい谺をひいて聞えて来ようと、飛ぶ蝶にはかげで操る糸がある、こちらもその手には乗るまいとする自戒が効を保っていたのは、しかしどれだけの期間だったろうか。

大高はまもなく、前に言質を残して行った通り、

「麻子を、栄子の墓参りにやるからな。お母さんの看病もさせてやってくれ」

といい出し、それでもいざとなれば麻子を手離すふんぎりもつかなかったと見えて、それがいよいよ実現することになったのは、大高来高よりちょうど一年後の五月であった。

文枝は、大高にじわじわと押寄せられ、心ならずも一足一足後退りして来た自分を悔むとき、いつも思いは栄子の昔に重なってゆくのであった。嫌なら何故天津まで行く、とはがゆさ限りなかったけれど、あの大高の底光りする目に睨まれれば誰も逃出すことは出来ず、泣きながらもずるずると蟻地獄の底に陥込んでゆくのは事情こそち

がえ、自分もまた同じだと思った。

大高はきっと、金も貯め思いつく限りの欲望もすべて満たされるいまの身の上で、足りないものは子の無い淋しさ、身内の無い侘びしさだけかと思われ、文枝に向かって兄と呼べ、と強制するのも、麻子と文枝とを繋げようと目論むのも、すべて自分を取巻くあたたかな身内の垣を作りたさの故だったのだと文枝はいまになって判って来る。やっぱり大高は怖いひとや、と思いながらも、身内の欲しさなら文枝の側もいえることであって、それならこれを大高の檻穽とはいわず、素直に受取ろうとも思うのであった。

それに、去年からいえばしまはまためっきり呆けており、もう日差しさえとろんとし、一日中畳を這う陽あしを目で追うだけで、こちらのいう言葉が判るか判らないかさえおぼろになっている。大高の念願どおり、栄子と紛う麻子と会わせるならもう今をおいてないと思えるし、それに声だけの麻子にいよいよ会える楽しみも文枝自身に全く無いとはいえなく、しまには、先頃からの電話を単に大高の奥さんから、と告げてある関係上、今度も奥さんがあんたのお見舞にわざわざ来るんやと、といい、

「姉ちゃんにそっくりや、と大高がいいよる。東京の人じゃきにね。行儀ようしてね、嫌われんようにしなさいね」

と教えると、判ったものかしまは機嫌よくこっくりとうなずいた。

日が近付いて、来る飛行機の便も取れ、空港まで迎えに行くという文枝が、お互い初対面だから何か目印を、というと麻子は、

「栄子お姉さまを見つけるおつもりでいらっしゃればすぐ判る、と先生がおっしゃっておいでですの」

と電話口で大高を振返るらしい気配があり、その自信は文枝にもはっきり伝わって来るようであった。文枝は、家に泊まり客を迎えるなどほとんど覚えのないことではあり、女同士なら年寄りの穢い寝姿も見せられまい、と当日まで掃除やら蒲団の手入れに大童であった。日中ミシンを下りて雑巾など持っていると、この家にこんな節目の時期がいつあったろうとふりかえれば、世間ではたとえ小人数の暮らしでなりと、そこに盆暮れには兄妹衆も戻ったり、親戚との往き来もあったりして賑やかなのに、この竹中の家はやっぱり昔ながらの古井戸の底と変わらないのを思うのであった。

麻子来高の前晩、珍しく夜八時を過ぎて大高から電話があり、

「お前、麻子を見て腰抜かすなよ。このところちょっと痩せとるが、どう見ても栄子と瓜ふたつなんだから」

とまたくどいほどいっておいて最後に、

「麻子には、栄子が大連に居たことは話してないからな。そのつもりで頼む」

と一言告げてからこちらの返事も確かめず電話はそこで切れた。

文枝はそのとき深くは考えず、あの電話、町角の公衆電話やったらしいな、と思ったただけですぐ忘れてしまったのは、自分でさえ栄子の娼妓時代を思い出したくない気持がいつも内にあったせいなのであろう。

翌日の日章空港は雲ひとつない快晴だったが、空港の吹流しは尻上りにはためき、見渡す限りの青田のなかに立っている、旧で祝う鯉幟りやフラフもいっぱいに風を張って靡(たなび)いているのが見える。去年いま頃大高はステテコ姿でいたが、今年はまだ朝晩すこし寒くて春蟬の声も聞かず、鏡川のボートレースにも厚いショールの見物人がテレビに映っていた、などと考えていると、まもなく東京―高知直行便、十時半到着のYS11機は物部(ものべ)川河口の方角から空港に着陸し、屋外のゲートに立っている文枝の前で銀翼を眩しくきらめかせながら大きく旋回してプロペラを静止した。タラップはゲートの反対側にかけられ、地上に降りた乗客は機首を廻って入口に歩いて来る。その疎らな群れが近づいて来るのをみつめていた文枝は、見覚えのある明るい縞のお召に、戦争中トーチカ巻きと呼んだ、髪の裾をくるりと外側に巻く髪型のひとを見つけたとき、ふわりと後頭部から目の前の景色が遠退き、そのひととふたり確かに赤い紐であやとりをしている感じがあった。花は白い山茶花で、相手はやっぱり姉の栄子だった、と目で追っていると、そのひとはそれがくせの風を除けるため片手で髪を、片手で裾前を押さえながらすうーっと文枝の前を横切って入口に入り、迎えの人波のなかに目

を泳がせているのがこちらから見える。

文枝は思わず、

「姉ちゃん」

と呼ぼうとしたが、その実それが別人であることもちゃんと判っており、幻と現実のなかを揺動きながらやっと人波を分けて近づき初対面の挨拶をすると、

「この髪も着物も先生のお指図通りにいたしましたの。そんなに似ていますでしょうか」

とにっこりする顔にまた栄子が重なり、文枝は自分の年を忘れて、いま天津から戻った栄子をこうして出迎えに来ていると思えてならないのであった。

遠目の姿もよく似ているが、近くでひとつひとつ目を当てるとくっきりした富士額、一重瞼の澄んだ目、特徴のある小さな唇と寸分違わず、それに荷物を取るときのちょっとした動作や、言葉の切れ目にうなずくくせも栄子生写しに見える。

これなら、栄子と似ていない点を挙げたほうが早そうで、それなら先ず大高も言っていたように少し痩せぎすなことと、肌のいろが栄子よりさらに白く、少々病的にさえ見えること、全体の印象がのんびりした栄子と違ってやや神経質に受取れることだけであり、文枝はそれも、栄子が生きて三十一歳になっていたら案外こんな姿になっていたかも知れん、とも思われるのであった。空港から家までのバスと電車のあいだ、

文枝は何だか夢見心地で、こんな不思議なことが世の中にあるものやろうか、といく度も心に問い、ひと頃、人ごみのなかで栄子に空似のひとを一所懸命で追った自分の前に栄子の化身は遂に現れず、こうして大高の前にみごと再現された事実からすれば、栄子は自分よりも大高との縁が深かったであろうかとそんな因縁話も頭に浮んで来る。

家に戻りついたとき、文枝はふと、しまに麻子を見せたいような見せたくないような迷いに暫く捉われたのはどういうわけだったろうか。あとで思えば、大高が今日まで時間をかけた上で麻子を出して来た気持とどこやら通じるものがあったようで、大高は掌中の珠と慈しんだだけ、一見限りの文枝とは較べものにならぬほど麻子を人目に曝すのを惜しがったものだと思われる。

しまを起し、蒲団に凭れさせた上で麻子を引合わせると、しまは歯のない口をぽかんと空け、垂れた瞼をかっきりと上げてまじまじと麻子を凝視して瞬きもせず、その様子では、しまはひょっとほんものの栄子が戻ったものと勘違いしているのではないかと思い、

「お母ちゃん、この方は麻子さんじゃきにね。姉ちゃんじゃないよ、判った？」

と文枝が耳許でそう呼ぶと、しまは急に悲しそうな顔になり、叱られた子供のように首を垂れた。

文枝と麻子は思わず顔を見合わし、

「やっぱり姉ちゃんと間違えちょるらしいですよ」

と文枝がいうと、麻子は甲斐甲斐しく両袖を帯締めに挟みながら、

「それで結構ですわ、お姉さま。先生もきっと間違えられるに違いないとおっしゃっておいででしたから。

私、ここにいるあいだ栄子お姉さまになってお母さまのお世話をさせて頂きます。お食事さし上げてみましょうか」

と立上り、文枝に手伝って昼の粥の膳を寝床の前に据え、さっそく一匙ずつしまの口に運ぶのであった。

その手つきは如何にものもの馴れていて、匙の間合いがまことにほどよく、日頃文枝の、続けざまに口に押込むかと思えば長いあいだ手を休めたりするやりかたに苛立たされているしまは、心から満足そうに目もとを緩ませ、うれしそうに口を任せているかに見える。匙の手のあいまにはナプキンで口のまわりを拭ってやったり、膝かけを直したりの心づかいもこまやかで、文枝は手を束ねてそれを見ていながら、さきほどの夢見心地からだんだんと現実に引戻される感じがあった。

声までも似、顔の造作から姿まで麻子は栄子にそっくりだけれど、ただひとつ心がけだけは天地のへだたりがあると文枝は思った。もしかりに、栄子が生きて天津からこうして戻ったとしても、栄子はただのったりと坐っているだけで、文枝のさし出す

茶など飲むのが関の山ではないかと思える。決して怠けものではないが気無し故に気がつかず、いわれれば嫌とは断らないものの進んでやるだけもうひとつ気が廻らないところがあった。

見ていると麻子のそれは他の動作にもさまざまあらわれ、手洗いに通る流しもとに、汚れものがつけてあれば間をおかずさっさと片付け、余った手で台所の板の間の雑巾がけをしておいたり、文枝と話しながら裁ち台の糸屑を拾っていたり、また夕飯の仕度は先に立ってまめまめしく働き、文枝がおかずは何がお好き？　おさしみは如何？　と問えば、

「私、お蒟蒻のお煮付けが大好きですの。土佐のお蒟蒻、ご馳走して頂けます？」

と質素な希望をいい、世帯持のよさも見せる。

文枝は、栄子の幻からひとつひとつ脱皮してゆく麻子の姿を見て、そこにやはり大高の深い思惑を感じないではいられなかった。大高は外見は栄子同様でいながら、その上に栄子では得られなかった多くのものを加え、自分に対して絶対服従の、理想的な女に仕立てあげることに老いの全熱情を注ぎ込んだに違いなく、それはかつて激越な任務に耐抜いた忍耐と意志の力にまさるとも劣らぬ努力を要したであろうことが知れるのであった。昔、疥癬の患部を夜中叩きやめなかった栄子を女体観音とも見たように、いま大高は自ら磨き上げた麻子をそれ以上に慈しむだけでなく、同時に自分自

身の老いへの堰とも考えているのは一人者の文枝にも判って来る。

夜に入って表は雨になり、しまを寝させたあとミシンを片寄せた部屋にふたつ並べて敷いた寝床に入り、互いに向合って女同士の話をあれこれしているうち、親しくなった心やすだてに、

「おかまいなかったら、麻子さんが大高さんと出会うた事情を聞かして貰えませんか」

と文枝がいうと、左頬を枕にした横臥のままで麻子も、

「私もお姉さまに是非聞いて頂きたいと思っていました」

とうなずき、生家は埼玉の自転車屋で四人兄妹の末子、高校卒業後腎臓を患って五年ほど家で寝たあと、やっと快くなってから新聞を見て大高の会社に事務員として入社したが、大高に口説かれ強引にアパートに囲われたのはわずか一カ月のちのことだったという。

「最初私は先生をあまり好きになれませんでしたの。私の父よりもお年上ですし、それに本宅の奥さまがとても怖うございましたから。

一度は実家へ逃げて帰ったこともございましたし、さび小刀などいじって自殺の真似事をしたこともございます。でも先生はすぐ部下の方をつれて追って来られ、逃げるつもりならそれなりの覚悟をして貰おう、と凄まれ、うちの父など縮みあがって私

にもとに戻るよう逆に説教する始末でしたの。どう申しますか、先生は何もかも見通されておいでの方で、何かこう、池の上で先生のお噂をするとその声がすぐ水底にまで響いてしまうような、そんなところがございますね。

でもこれが私の運命といいましょうか。先生のお話を聞いているうち、私先生がだんだんおかわいそうになり、栄子お姉さま以上の立派な女性になって先生をお慰めしてさし上げたいと思うようになりました。お恥ずかしゅうございますが、私いまは先生に愛情を持っております」

といい、「ねえ文枝お姉さま」と呼びかけて、

「竹中のお家柄は昔とても由緒のあるお血筋だったそうでございますね」

と訊き、文枝は一瞬ふき出しそうになって、あなた、父親が指物大工だった貧しい家ですよといいかけて口を押さえたのは麻子の表情が思いの他真剣で、遠いものに憧れわたる目のいろだったためで、

「栄子お姉さまはそういうお生れの関係で、とても教養深い方だったのでございましょう？」

字もお上手でお茶、お花を嗜(たしな)み、天津でも評判の日本婦人だったとか聞きました、と麻子は続けて、

「先生は栄子お姉さまのことが忘られず、いまの奥さまとしっくりいかないせいもあ

って、私にめぐり会ったとき、たとえ命に代えても私と暮らしたいとお考えになったそうでございます。そういうお話を聞いて、女冥利に尽きると思いましたの。私、栄子お姉さまに面差しの似ていることをいまは何よりのしあわせと考えていますわ」

現在麻子は大高のために不老長寿の食事を研究し、マッサージを習い、教誨師の仕事を理解するためにさまざまな勉強をしているという。

「先生の胸のなかの、栄子お姉さまのイメージを毀さないでいようと、私一所懸命なんですのよ」

と誇らしくいうのを聞いて、文枝は思わず深い息をし、同時に躰のなかで少しずつ何かが溶けていくようであった。

大高はやはり、栄子に対して尋常一様ではない、それこそ骨の髄までの惚れ方をしていたのだと文枝は思った。考えてみれば、大高が栄子と一緒に過ごしたのは大連梅花楼の二カ月足らずと、天津二カ月のたった四カ月に過ぎないのに、幾十年を経てなおその姿を追求めてやまないのは夭折した栄子への強い愛惜以外の何ものでもない、とはいい切れなかっただろうか。一年前のあの日、旅館で話した大高の口から一言の陳謝も聞かれなかったことに文枝は腹を立てて帰って来たが、麻子をこうして土佐に寄越して来たのは、正面切って女子供に頭を下げられない男の、これは躰で示した詫びの言葉だと文枝は受取った。三十七年という歳月はただならず、愛憎すべて時効の

彼方へ消失せてしまう時期に、なお亡き女への執念を持続ける男というものに対し、文枝はいまさらのように恐れを感じるのであった。

それにしても、騙されている麻子の何と美しいことよ、と半ばとろとろしているその寝顔を眺めながら文枝は思った。栄子が家事落第者であるとも、金釘流の字を書いていたとも知らず、まして娼妓という男相手の女だったなどみじんも考えず、大高の語る夢物語に自ら身を投入れていった麻子のまっすぐな心ばえは、ひょっとすると栄子には真似のできぬ芸当かも知れぬとも思われる。夜明けがた文枝はふと目覚め、薄明のなかに横たわっているひとをやはり栄子と思い、その山茶花の花びらのような顔の白さから「姉ちゃん、ひょっと寒うはないやろか」と案じながら、自分もうつらうつらしているのであった。

夜汽車

激しい驟雨の通り過ぎたあと、街は晒し上げたように白く洗われ、正面の四国山脈はぐっと手許に引寄せて彩色したように、鮮やかな緑を滴らせて見える。八幡様の森を抜けてゆくとき、不意に渡って行った風が杉の梢を揺り、滾れた露がぱらぱらと靫子のブラウスの肩に落ちた。並んで歩いていた継母の邦枝の肩も濡らしたのか、独り言のように、

「これで今晩からちっと凌ぎ易うなる。
今日はもう二百十日じゃもの」

と呟いたが、その言葉を追掛けるように、風は人気の無い拝殿の鰐口の鈴をからからと涼しく振って通り過ぎて行った。

台風も来ない穏やかな今年の九月一日は、まだ終っていなかったのだと靫子は思った。今朝、胸を膨らませ足取りも軽く登校して行ったこの道を、今は大阪行きの汽車に乗るべく税関シールの貼跡のたくさんある、古い革鞄を片手に提げて急いでいる。同じ一日でありながら気分には遠い隔たりがあり、しっかりと気を引緊めていた朝に較べて心身ともにけだるく、不機嫌な沈黙は邦枝に対して悪いとは思いつつも、無意味な口をきくのは靫子は今ひどく億劫であった。

税関シールの跡は、鞆子の家がそれを家業にしている、芸妓娼妓を満州（現、中国東北部）に連れてゆくたび釜山や大連などで貼られるもので、一昨年軽い中風を患ってもう遠出は控えている父の武造に代わって、此の頃は兄の敬太郎か手伝い人の粂吉、稀に邦枝がその鞄を持って出掛けてゆく。妓の移動に就いては、初店でも住替えでもはっきりした取決めはないものの、多くは費用万端雇主持で紹介人が送り届けるのが古くからこの世界のしきたりとなっている。足抜けなど事故も多いため妓を連れてゆく役割はこの商売上一番重要な部署なのだが、この春十七歳になったばかりの鞆子が自分でも全く思い掛けなく、ふっと気軽にいまそれを引受けているのであった。武造のほうでも鞆子の申し出にすぐ飛付いたのは、人手不足の現状を見て子が家業を手伝うは当然、と考えていることの他、この節は内地よりも満州との取引に力を入れていて、一度に七、八人も引連れて牡丹江の果てまで長道中するのに較べれば、たった二人の妓を大阪まで連れてゆく事くらい、仕事の内とも思っていないのかも知れなかったし、また、鞆子に託しても気遣いの要らないほど、二人の妓を信頼しているのかも知れなかった。

　武造のこの渡世にはもうずい分年季が入っていて、鞆子がもの心ついてからは白粉の匂いの濃い、派手やかな柔らかものを着た女たちがいつも廻りにいたような記憶があったが、家業を忌わしいと思うと同時に、それに従う妓たちを心の中でひそかに忌

嫌うようになったのは何時頃からだったろうか。多分、小学校三、四年頃、受持先生の家庭訪問を案内がてら皆と蹤いて行って、よその家庭と自分とを見較べる事が出来るようになった頃かと思えるし、或は又、ずっとのちになって家業の中身が大体理解出来るようになってから、とも思われる。最近その気持はとくに強くなって来ていて、妓の実家の親たちへの言伝けや、身代金の立替えと思われる金を銀行から引出しに行く役割や、そのための電報局への使いなど、人手が足りなくなっているせいで、ときに靫子にまで云いつけられるそんな雑用をさえ嫌がるようになっているのに、それを遠い身売り先まで妓を連れてゆく仕事を自分から買って出たのは、下校後ずっと、しきりに揺れていて定まらぬ暗い気分のためであった。

靫子は邦枝と並んで黙って歩きながら、この道を踏んで学校へ通う日はもう再びないのではないか、と他人事のように呆んやり考えている。大阪への旅が大事な役目を帯びている自覚など少しもなくて、これから駅で会う筈の二人の妓に対しても「偶然の道連れ」以外、格別の興味も持ってはいない。仕事にかこつけてこうしてふらふらと家を出たあと、取敢ず大阪を中継ぎにし、このまま自分は何処か遠いところへ行って了うだろう、と云う濃い予感が頻りであった。

八幡様の森が尽き、駅前広場を見通す大通りに出ると、夕陽が街中にいちめん朱泥を流しているなかを地上に長い影を引きながら、人々が急ぎ足に三方から駅舎に吸込

まれて行くのが見える。駅舎の屋根に嵌められた大時計を仰ぐまでもなく、大阪連絡の高知駅発十六時五十五分の改札がもう間もなく始まるらしかった。

　邦枝は、住替えの繋ぎの僅かな期間、宿下りしている妓二人を田舎の親許へ連れに行った筈の粂吉と打合わせがあるためか、急いた様子で、

「私、一足先に行くきにね」

と云捨てて小走りに電車のレールを跨ぎ越して行ったが、その足許に縺れている黒い夕影を後ろから見ていると、鞆子は自分も同じように引いている影の、灰色に赤い水玉のデシンのブラウス、白麻のスカート、黒革の靴と云う、学校の制服ではない自分の姿を思った。

　四年制の藤蔭高女では、入学時に渡される「生徒心得」の小冊子の中に、映画館飲食店の出入り、私服の外出など、禁忌とされる事項がこまかく盛込まれてあるが、そのなかでも最近とくに取締りが厳しくなっているものに服装の規制があった。髪型から云えば、本科一年はおかっぱ、二年は前髪を上げた断髪、三年以上は伸ばして後ろで二つに分けて結う事に決められ、その結いかたも額の真中で分けた髪を自然に下へ梳きおろし、少しでもピンで上に掻上げたり横分けにしたりすると、違反者としてすぐに教師たちから目を付けられる。髪を結うゴム紐も三年は黒、四年は白、本科卒業後も同校内の鞆子たち家政専攻部は地味な臙脂と、規定のものを学校売店で買い、そ

れで髪の根元をきりりと縛って、紐から先が五糎以上にもなれば、短く剪るように と注意されるのであった。

制服の上衣は従来通り衿に蛇腹二本線のセーラー服の他、新調する者はへちま衿の国民服と指定され、徽章さえ胸に着ければ作業衣としている黒木綿の襦袢でもよく、下はスカートよりも脚絆つきの黒いもんぺを奨励するふうがあった。靴下は禁じられる以前に衣料品屋の店頭に既に無く、履物は竹張りの下駄で、緒は手縫いなら模様ものも許されるが買うならば赤鼻緒、もし家に残っているなら古い豚革などの制靴も穿いてよいとされている。

靫子たちは毎朝、軍人上りの教練の教師が校門に立って浴びせる苛烈な目を潜り抜けたあと、朝礼でも一斉に担任教師から検閲を受ける。前から順に一人一人眺め上げ眺め下ろす教師の目を、靫子は列の真中から後に属する背の高さにいて毎朝迎えながら、それがあまり窮屈とは感じられなかった。教師たちがややヒステリカル、と思えるほど生徒の服装を取締るのは、それが糸口となって、時局柄罪悪視されている男女の自由な交際を誘発すると考えているからに他なく、靫子のように男友達など実際にありもしなければ念頭にもない女学生に取って、検閲などいくらやかましかろうと大して関係のない事であった。授業中でも、生徒監の教師から名指しで呼びつけられ、職員室で説諭を受けるいわゆる「不良」の女学生は、大抵ウエストをベルトで形よく

緊めていたり、髪を緩く結ってパーマの代わりに寝押ししていたり、作業衣の胸にハイカラなブローチを留めていたり、防空頭巾に色物を使ったりしていて、そして必ず派手な男学生との交際の噂を撒散らしているのであった。

鞆子の学生生活はずっと真面目な友達に恵まれ、興味は専ら読書や音楽や、それに学校の成績などに向いていたから、振返ってほんの僅かな反則も犯した憶えはない。それを今朝までは自分の矜りともし、唯一の心の拠り処とも考えていたのに、今はこう云う目立つ服装をして大阪まで出向こうとしている。家業の関係ばかりでなく鞆子にはときどき旅行の機会もあり、この五月、武造が入会している中野正剛の東方同志会の関西練成会が神戸の湊川神社で開かれたとき、武造の介添えのためについて行った際も、鞆子は規則通り制服のままで私服の着換えも持っては行かなかった。

学生仲間での通称「四・五五」と云うこの汽車には、鞆子の通っている藤蔭高女の汽車通学の連中が毎日たくさん乗って帰る。太平洋戦争も三年目に入った昭和十八年の現在、客車の本数は著しく制限されていて、遠距離用通学用の区別も無くてすべて鈍行であるばかりか、大阪連絡は夜行のこの一本だけになっているのであった。今日が午前中だけで終る始業式の日ではあっても、通学に時間のかかる汽車通の連中はいつも弁当持参でそれを食べて帰るため、下校の便は結局普段通りの四・五五となってしまう。汽車通の連中と駅で出会せばなかには学校へ通報する人があるかも知れず、通

報しなくても連中の話題を当分騒がしく賑わす事は判っていたが、今はもうそれは大した問題ではないように靫子には思えた。学生生活とは今日で訣別、と予感していれば「生徒心得」の規則も遠くうすれ、人の噂も恐ろしくはなくなっている。

駅舎に近付くと、黒い人波はもう軒下から溢れ出るほどの混雑であった。さっきの雨に持込んだ雨具のせいで床は濡れ、それに戦時下の服装は皆殆ど黒に近い地味なものになって了っていたから、夕陽の明るい外よりは一足先に、駅舎の中だけもうたそがれが下りているような暗さがあった。切符を買うための人の列と、改札に並んでいる列とが渦になって入乱れ、立つのがやっと、と云う状態で、入口で爪立ちしながら邦枝たちを捜している靫子の耳許で、

「嬢さん」

と粂吉の声がし、振向くとつい脇の、壁際に押しつけられている一群れの中に邦枝の姿もあった。

若い頃からずっと武造の仕事を手伝って来た粂吉も、もうこの頃ではすっかり老い、持病の痔をたてにしきりと旅行を嫌がっていたから、俄に靫子が代わってくれたのを相好を崩して喜んでいるふうにみえる。靫子の背を押して壁際に行き、邦枝と並んで立っている二人の妓に、

「西田の嬢さんがお前らを連れて行ってくれる事になった」

と云って、

「この嬢さんは女学校のまだ上の学校に行きよる出来のええ人じゃきに、お前ら、甘う見てはいかん」

と居丈高に云聞かせ、鞆子には、

「こっちが里子、こっちが露子」

とだけのあっさりした紹介で、あとは、

「大阪駅まで栄楼の番頭が迎えに来てくれる筈じゃきに、一つも心配は要らんよ。あんたが行たら栄楼の女将(おかみ)さんも却(かえ)って喜ぶろう」

と、旅路の安全を繰返し口にするのであった。

鞆子は、いまから明朝までの道中一緒に過ごす二人の相手の目を見た途端、家の職業について忌わしい思いを抱き始めた年頃からずっと付纏(つきまと)っている、娼妓に対する「ああ、嫌！」と云う思わず身震いするような感じがやって来て、ふと顔を背けようとしたのを今日だけはやっと踏止まり、鞆子にしては精一杯心を解いたつもりで二人に笑い掛けた。日頃から鞆子は、自分が廻りの人に高慢な印象を与えている事を知っており、またその陰口も耳に届いてはいたが、そう云う態度を改めようと考えたことはなかった。家は見下げた商売ではあっても、自分だけは違う、としゃっきり首を上げているところに生甲斐めいたものがあって、この世界の人間と自分とを心の内でい

つもはっきりと区別しているのであった。

　露子と呼ばれた妓はその名の儚さに似合わず、たった今鍬を置いて野良から上って来たような、陽灼けした皮膚に猪首差し肩O脚の如何にも頑丈な躰つきで、里子はその露子をすべて裏返しに掛けたように、繊細い長い首と乾いた白い肌がいたいたしげにさえ見える。二人は、この頃呉服屋に行けば衣料切符で買える混紡の銘仙の一反を半分ずつ分けたのか、濃緑に朱のこまかい縞を同じ型のワンピースに仕立てて着ていて、足許もまたお揃いの籐表の草履を穿き、露子のほうは肉厚の足指がつんと先まで入らないと見え、踵を大きく後ろに余らせているのであった。

　靫子が二人に笑いかけたとき、里子は受けて、陥ちた頬をちらと緩ませたように見えたが、露子はふいと横を向き、俯いて大きなトランクの把手に縛りつけてある風呂敷包みの結び目をなおしている。

　自分に対して何の挨拶もなかった事を、靫子はそのとき、格別気にも留めなかった。家業の中身には全く関わりはないと自分では考えていても、子供の頃から店に出入りする妓を見ていれば、この二人のように、一所懸命気張って盛装したらしいところで安物の銘仙の洋服に草履穿き、と云う垢抜けないいでたちでは、人前でまともな挨拶の躾もついていない事は判っている。顔見世し取引の決まったあと、楼主に対し紹介人に対し手をついて、「それではよろしくお願いします」とちゃんと挨拶の出来る気

の利いた妓は、今度あらわれるとき見違えるほど出世した身装(みなり)になっている例は、何となく鞆子でさえ知っているのであった。

恰度(ちょうど)そのとき頭上のスピーカーから改札を知らせる声が流れ、赤切符を鞆子の手に握らせた粂吉も邦枝もどこかへ紛(まぎ)れたまま、黒い人波は引潮のようにホームへと吸込まれてゆくところであった。鞆子は押され揉(も)まれてやっと改札を通ったあと、陸橋の階段に足が掛ったとき、ふと目を上げると前屈みに登ってゆく二人の妓の腰がすぐ前にあった。ほんものの絹擦れとは少々違う擬(まが)いものの音をさやさやと立て、縦縞の銘仙がふたつ並んで揺れながら登ってゆく。胴のくびれから下、まことに頼りなげな細腰の里子に較べ、露子は長い蜂腰でがっしりと階段を漕ぎ、見れば里子のトランクまでも引受けて両手に提げているのであった。

陸橋を下りたホームでは二人と鼻先を付合わすほどの混みようで、鞆子は落着きなく辺りを見廻しながら、この情景を学校友達の誰かに見られはしないかと心を波立たせている。白麻のスカートが目立つのは構わないが、一見して娼妓と判るこの二人と一緒にいるところを見つけられるのは、鞆子に取って校則違反以上の恥のように思える。それは長い習慣から来る鞆子自身の強い忌(い)み事であって、今日から学校を止めようと、もう再びこの街へ帰らない筈であろうと関わりなく、自分から今それを破っていることへの苛立たしい悔いがあった。いつ頃からか鞆子は、よそ目からでも家の職

業を気取られない為のひそかな要慎として、長い袂の着物を着ないことや、友達を家に連れて来ないことや、舞三味線の話をしないことなどしっかりと自分に禁じていたが、中でも固い戒めは、どんなに勧められても妓たちと連立って表を歩かない決心だけはつけているのであった。

水商売の人間が使う金は根無し草のように底が無く、ときと場合に応じてパッと一時に放散する宿命を持っていて、鞠子など小さいときから憶え切れないほどたくさん、その金の煽りを受けて贅沢な目を見たものであった。「旨い鮎を食いに」と思い立てば、遠い清流の地にハイヤーを走らせるほどのものは楼主格の遊びとしても、妓たちの「嬢さん、ええもん買いに行こ」に釣られ、大きな人形や摘み細工のついたリボンやビーズのバッグなど買って貰っては、他愛なく喜んでいた小さい頃の自分を憎む気持も今の鞠子には強い。粂吉など、羽振りのよい妓とはなるべく連立って出掛けたがるのも、そう云う饗応を受けるのが目当て、と見られても仕方ないほどこれはもうしきたりとして染みついている。鞠子はこんな雰囲気がだんだん判って来るにつれ、なおいっそう自分を締めつけているのであった。

やがて高知駅で仕立てられた四輛繋ぎの列車が入って来ると、行列も順番もなくわっとデッキに殺到する人集りに高声が飛交う中で、さすが粂吉はもう三人分の席を素早く確保して窓から手を振っている。人の隙間を肘で掻分けて鞠子たちは列車に登り、

便所脇の席に窓際に向かい合って靫子と里子が坐り、露子は里子の隣に腰を下ろした。既に通路もデッキもいっぱいで、靫子たちと入れ替った粂吉が難渋しながら人波を漕いでホームに下立つと同時に、長い発車のベルが鳴った。

汽車がゆっくり動き始めたとき、窓近く寄って来た邦枝に靫子はそれとなく別れの言葉を云いたいとは思ったが、向こうが汽車について足を早めながら、

「ほんなら、栄楼の女将さんによろしゅうにねえ。道々気を付けて」

と慌しく云ったのに対し頷いただけであった。

高知駅を離れると家並みはすぐに尽き、汽車の窓から山の麓まで遮るものもないいちめんの田圃(たんぼ)となる。刈入れも間近な、色づいた稲を傾いた陽がさらに赤く染めている中を汽車はだんだん速度を増し、線路わきの藁屋根の廂(ひさし)や焦られ柿の梢や、夕焼けを映した田の中の用水のうねりを後へ後へと飛ばしてゆく。

前の席の里子たちとの間にも躰を斜めにして人がぎっしりと入り込んで来ていて、その人いきれで車内は屏風を立廻したようにひどく蒸暑かった。開け放した窓に片肘を載せ、東の山際から黒く昏始(くれはじ)めた田の面を見ていながら、靫子の目はその実、さっきまでいた納屋堀(なやぼり)の自分の家を目に描いているのであった。満潮には、田舎から生(なま)ものを満載した帆船が舳先(へさき)を揃えて入って来る納屋堀の対岸は、その生ものを捌(さば)く中央市場で、靫子の家はそれをこちらから眺める位置にある。家の前の、鏡川へと抜ける

白い舗道は夏場の風情がよく、川べりの栴檀（せんだん）の並木は初夏にはうす紫の花がけむり、秋には黄いろい実ばかりか、自然生えの茘枝（れいし）まで赤く熟れて幹にぶら下がる。あの家も、入口に樫の木の「紹介業」と云う吊看板さえなかったら、もっと居心地よく暮らせたかも知れない、と鞆子は思った。鞆子が記憶してから、あの看板のためにどれだけ肩身の狭い思いをさせられたか、考えてみればそれは計り知れない重さだが、汽車が高知駅を離れると同時にそれらは一切、自分の廻りから消えてゆくべきものであった。そう思えば胸の内もすっきりする筈で、日没前の僅かなひととき、いつも栴檀の木の陰に籐椅子を持出して夕刊など読んでいた武造の姿が目に浮び、いま恰度その時刻なのだと考えても鞆子の胸は少しも痛みを感じなかった。

　鞆子が自分で禁を破ってまで二人の妓と道中する事を思い立ったのは、今朝、途方もなく早い時間、晴々した気持で登校し、始業前、花瓶の水を入れに下りた第二家事室で学校の女事務員から聞かされた意外な話が発端であった。この春入学した家政専攻部の一学期末の鞆子の通知簿は全甲となっており、長い間裁縫手芸が乙から脱出せなくてその成績不均衡のために級長にも優等生にもなれないと考えていた鞆子は、「これで二学期には必ず級長になれる」と自信をつけていたのに、学期末の教員の操行判定会議をひそかに洩聞いたと云う事務員は、

「またさんざん揉めた末、あんたの操行はやっぱり乙やったよ」

と事もなげに靫子に云う。

事務員は靫子が、入学以来自分の操行の乙であるのをとうに知っているものと軽く考えていたらしいが、通知簿の操行の欄は普通皆空白のままだったから、一度だって校則を犯したことのない自分の操行が乙、と人から聞かされたのは、靫子に取ってこれが初めてであった。そうと聞けば藤蔭の五年間、級長ばかりでなく、学校側が公式の場の代表としても靫子を出さなかった理由も一度に判り、操行判定会議が揉めると云う様子もほぼ想像出来る。操行は普通であればみんな甲、乙は生涯に残る恥辱だからクラスでもほんの一人二人、よほどの不良でない限り学校側も与えはしない、と靫子が自分に関わりなく聞いたのはいつの事だったろうか。

事務員から話を聞くなりその場からまっすぐ下駄箱へ引返して靫子は教室に戻らず、始業の予鈴も本鈴もうしろに聞流したままずっと歩き続けて途中八幡様の森に入り、拝殿に腰かけて汗を拭いた。陽射しはかっと強いのに地鳴りに似た遠雷がさっきから轟いていて、その音はいつも不意にやって来る齲歯の痛みに似た不安を靫子の胸にしくしくと伝えて来る。映画館の看板さえ立止って見上げたおぼえがなく繁華街でさえ避けて通り、その上勉学に励んで、学科では人にひけをとったこともない自分の操行が何故に乙、と胸に詰り続けていながら、靫子はとうに、それが卑しい稼業の家の子故、自分に貼られる歪んだレッテルであるのを知っていたような気がするのだった。

考えてみれば理由の判らない学校からの差別はこれまでいく度繰返されたか判らないのに、今度はまたどう取違えて晴れやかな期待を掛けていたのだろうか。差別は多分家の職業のせいと憶測していても、今朝のようにそれを言葉にしてはっきりと聞かされないでいただけ、もしや、もしや、と望みを繋ぎながら過ごして来た藤蔭の五年間であった。

八幡様の森を出てからまた靫子は暑い白い道をずっと考え続けながら家に戻りつき、誰もいない勝手口から二階の自分の部屋へ上って、この頃はあまり手を触れることもない蓄音機の蓋を開けて自分を宥(なだ)めようとした。

何かで気を紛らしてでもいなければこの鬱塞のやり場がない、と思えるのに、レコードのヴァイオリンの音は日頃靫子の胸に棲(す)む、「こんな家の子に何故生れた」怨みをいっそう掻立てて来る。自分を不幸だと打ちしおれて嘆くのはみじめでやり切れなく、長い間背負って来た親の職業の桎梏(しっこく)からもういっさい解き放たれ、肉親知人の誰とも関わりのない遠い場所へ靫子はひとり行ってしまいたかった。

靫子と露子里子を乗せた汽車は、高知駅のあと一宮(いっく)、大津、後免(ごめん)、土佐山田、と順に停車しながら駅々で通勤通学生を一塊ずつ下ろし、もう昏れようとする山道にさしかかっている。これから高松まで、百幾つのトンネルを石炭の煤に塗(まみ)れながら抜けてゆかねばならないが、暑さの為窓は閉められなかった。高知駅を出るときは満員だっ

た車内も近距離の客を下ろせば立っている人は僅かとなり、それも次の天坪で通勤者は大抵下りて了う。

前の席の二人は頭をくっつけ合って、低い声で何かしきりと話し込んでいるようであった。長い夜汽車のために、家の本棚から抜いて来た詩集を取出そうとして靫子が腰を上げ、網棚の鞄からそれを下ろしたとき、露子がとても明るい声で、

「腹が減ったねえ。ええもん食べよか」

と云った。

それは靫子にも話しかけたように聞え、「おなかが空いた」とは云わず「腹が減った」と云う言葉遣いをする露子を咎める気にはならず、唇許を緩めて靫子は待っていた。露子が、トランクの柄にくくりつけてあった風呂敷包みを膝の上に下ろし、楽しそうにゆっくりと結び目を解いて新聞紙の中から取出したものは、縦にふかし目の走った鮮やかな紅いろの新芋であった。新芋はまだ町には出廻っておらず、ましてこの食糧難の時代に新芋とは、どんな貴重品にも勝って有難いものに見える。

「これ、今朝私がこっそり畑から抜いて来たが。お父やんも今日はさすがに怒らざった」

普段なら、まだ肥る芋を今から抜いてたまるか、と云うて怒鳴られる筈やのに、と露子は笑いながら細長い芋を里子の掌に握らせたが、その瞬間、靫子ははっと目を伏

せた。露子は前の席の鞆子には一瞥もくれず、掌の中の芋をすぐ二つに割って食べ始めたからであった。

「まだ温いねえ」

と嬉しそうに少しずつ割って口へ入れる里子の前で、俯いて詩集に目を落すふりをしながら鞆子は恥ずかしさで耳朶まで赧くなり、下着の下で鳩尾を玉のような汗の粒が続けざまに滴り落ちてゆくのが判った。

露子が風呂敷包みを解いたとき、鞆子は何を期待していたのだろうか。きっとねぎらいの言葉と共に真先に鞆子にすすめ、それから里子にも分けて露子は一番あとから口に入れる、そんな様子を描いていて露子の差出す手を待っていたに違いなかった。

そう考える根拠を、どこに持っていたのだろうか、と鞆子は思った。さっきまで「偶然の道連れ」としか関心のなかった相手がものを見せた途端、だらしなく唇許を緩めて了ったのは、長い間、娼妓を扱うときの高飛車な紹介人の態度を目に灼きつけていて、妓に恩を売ると云う思い上りをいつのまにか身につけていたせいではなかったろうか。小さいときから出入りの妓たちにええもんを贈られ、美味しいものを奢られ、それに狎れて育った自分の卑しさ、あさましさが思われる。目の前の露子がわざと誇らかにしていると云うのではないが、鞆子がほんの一閃、甘たれた視線を走らせたのには目もくれず、やや受け口の強い頤の線を見せて口を動かしているのは、ど

んな言葉にも勝った露子の意志をそこに感じさせられる。

駅の入口での初対面のとき、挨拶のつもりで鞆子が浮べた微笑をふいと露子が躱して了ったのも、あれは礼儀知らずのせいではなく、深い含みがあってそうしたのだと鞆子は思った。もし仮に同伴者が鞆子でなく、武造や敬太郎やまた粂吉であったら、露子は素知らぬ顔をして二人きりで芋を食べたであろうか。鞆子に向かって心を開く様子が見えないのは、相手をまだ子供と見ているからではなく、きっと露子は、商売女を不潔だとひそかに蔑んでいる鞆子の胸の内を素早く覗いて了ったに違いない、と鞆子は思った。威しのつもりで粂吉が紹介した「女学校のまだ上の学校に行きよる」と云った言葉は逆に二人の胸を突刺したかも知れないし、着ている銘仙のワンピースを見た鞆子の目に、明らかに侮りの色があったのをその場で感じ取ったかも知れなかった。

二人は鞆子に憚るふうもなく、さも美味しそうにときどき口を鳴らしながら、

「皮までおいしいねえ」

「咽喉へ詰まるみたいやねえ」

と何が可笑しいのかしきりに笑い、露子の盛上った膝の上でころころと揺れる芋に、大事そうに手を伸ばす。

食べ終ると露子はちょっと戯けて、

「これ、うちのお父やんの真似」

と野太い声で節をつけ、

「ああうまかった、うしまけた」

と云い二人はまた弾けるように笑い合う。

動作が男のように荒く切立って見える露子が、新聞紙を掴み固めて窓の外へ捨てようとするのを里子が引きとめ、薄い膝の上で叮嚀に皺を伸ばすと、端から互い違いに引裂いてご幣を作り、それを窓の外に吹靡かせては子供のように遊ぶのであった。

新聞紙のご幣は粘り気がなくて強い風にすぐ吹千切られるけれど、運よく窓枠に絡まったのははためきながら靫子の読んでいる詩集のページを嬲るのをわきから露子が見て、

「里ちゃん、やめや」

とさっときつく窘めたのは、食べ物の場だけでなく、靫子には関わりなくしていろと云う、露子の教えだったろうか。

この情景を武造が見たら、相手が自分の娘と云うのではなく、

「阿呆な奴が。道中世話になる紹介人に感謝の気持が無うては先に見込みがない。そんな妓はいつまで経っても借金が抜けやせん」

と口汚く云うのはおおよそ判っており、それを靫子なりに置換えてみれば、仕事を

抜きにしても、三人道中の車内で一人だけ弾き出されている事の気分の悪さは、やはり多少なりと胸に残る。思惑があってそうするのか知らないが二人してものを食べ他愛なく喜び合う様子を隠しなく靫子に見せつけるのは、露子はよほど強い心の持主ででもあるのだろうか。身売りの女はただしおたれるばかりでなく、籠に入れて売買いされる闘鶏用の軍鶏(しゃも)の目に似て、こうこうと人の目を撥ね返す意地をさえ持っているのかも知れなかった。

汽車はもう四国山脈の懐深く入っているのか、窓外の闇に星かと紛うばかりの高さで燈火管制の灯りが疎ら(まば)に連なっているのが見える。夜が更けるほどに風も冷え、その風の吹廻しで汽車の轟音のあい間にふと、谷の瀬音も涼しく聞えて来るようだった。

狭い箱の中に膝つき合わせていながら口もきかずにいる緊張に堪えられず、二人はいっそ、何処かへ逃げて了えばいい、とふと靫子は思った。無理に嗾(そそ)かすほどの知恵は働かないが、せめて次の乗換えからは別れ別れになりたいと思った。二人が決心して逃走を企て、さきほどから頻りと懐かしそうに口にし合っている芋畑のある故郷の村に帰っても、このまま遠くへ行抜けて了うかも知れぬ靫子には関わりのない事だし、いつか兄の敬太郎が云っていたように足抜きの妓を一村挙げてかくまえば、二人はもとの自由な村娘に戻る事も出来る。そこまで勇気がないなら、せめて大阪までお互いの目に遠い席で別々に着いたならどれだけ気が軽いか、靫子はそれを心の内で願って

いる。

汽車が高松に着くと、鞆子は先に立上って人混みに紛れ込み、通路を足早に歩いて先に連絡船に乗ったが、銅鑼(どら)が鳴ったあと顔を上げてみるとすぐ斜め前に二人はちゃんと坐っているし、宇野でも同じように、後から大きなトランクを提げてやって来た二人は、車輛の中をあちこち見廻しながら鞆子を見つけるとやっぱり黙ってその前に腰を下ろすのであった。

悲しい習性、とそれを見て鞆子はずっしりと胸の中に重いものを貰ったような気がした。

二人が幾度住替えしたか知らないが、移動の旅ではいつもこうして紹介人の傍に引据えられていたものであろう。雁字搦(がんじがら)めの運命に逆らうことなく、心の内に思いは往来していても、引率者と思えばこそ若い娘に黙って蹤いて来る二人を見て、鞆子はどう云っていいか判らぬ思いが胸に溢れて来るように思えた。ついさっきまでは、こちらも無関心なら向こうも道連れとは思ってもいまい、と考えていたのに、二人は鞆子に引立てられてゆく自分たちの身を充分心得ていたものと見える。眠れないのかもう午前一時も廻った薄暗い車内で、二人は頭を低く下げて、ひそひそといつまでも話し合っているようであった。聞くつもりはないものの、目を閉じている鞆子の耳に入って来る話し声から推測すれば里子はどうやら病気らしく、励ましている露子の、

「精出して養生しいや」

だの、

「私がお前の分まで働くきに」

だのの言葉に答える里子の声は途切れ途切れで、ともすれば車輪の音に消されて了うほどにか細い。そう云えば駅での初対面のとき、この人の唇を見て、四つ辻に捨てられた猫の舌のような赤さよ、と思い、薄気味悪く感じたものだったが、あれは病気のための熱のせいだったろうか。病気と聞けば里子の胸の薄さも瞼の凹みもすべて頷けるし、「手も足も鉄棒みたいに重とうて」と訴えていた里子に代わって、重いトランクを二人分提げて歩く露子の劬わりも判る。自分で病気と知っていながらだるい躰を引摺り引摺り、見知らぬ土地へ働きに行く事情とはどんなものだろうか、と鞆子は思った。

鞆子の小さい頃、遊廓の裏の田圃を近道して通学していた時期があり、廓の表は磨いても裏はほんの金網程度の塀だっただけに、長く長く連なっている建物の、ハモニカの穴のような小部屋に寝ている妓たちの姿を毎朝のように見たものであった。夏の朝、ラジオ体操に通う道に、男と二人、まるで眠り薬が効いたように眠りこけている妓の、つい枕許を通って行くこともあれば、立て膝して吸いつけ煙草を男に差出している崩れた髷の長襦袢姿から、何やらあやしげな匂いが流れて来るようなこともあっ

た。寝間の情景ばかりでなく、廓の入口の大きな見返り柳の廻りでは、様子ありげな男女の縺れ合っているのを見ることもあったし、厚化粧した妓たちが家の前の沿岸通いの船の船員たちを誘いに、四、五人行列してやって来る日暮れどきもあった。廓の小部屋はどこも暗くて湿っぽく、客と寝ている妓たちは皆、大きな赤い蒲団をたっぷりと被いているのがいまも靫子の目にあざやかに残っている。あのひとたちは蒲団に何故白いシーツをかけて寝んのかしらん、と云うのがその頃の靫子の感じで、そう云えば廓の妓たちが身につける、頭の飾りも赤なら衿も赤、もちろん長襦袢も赤の総仕上げで、小部屋の外の濡縁に並べてある上草履の横緒も赤と云う、少しくたびれたような赤の印象が、下着に赤シャツなど固く止めてある学校の戒めばかりでなく、その後靫子が身の廻りに何となく自分から赤い色を遠ざけるようになった遠い理由なのかも知れなかった。

　そのうち、誰からともなく廓の裏の近道の禁止令が囁かれ始め、目隠しの板塀も出来れば、子供心に秘密めかしたその部屋の、人の目から遮りたいものは何だったろうかなどと、しんと心も冷えて来る。赤い蒲団の上に、思い余ったように投げ出していた女の白い腕や、寝苦しいのか脂染みた枕紙を縦横に破して、沈み込むように寝ていた女の姿が働くと云う意味をもつものなら、それに関わっている自分の身が誰かに肩を叩かれているようにしきりに思われて来る。

二人が今までどう云う運命を辿ったのかは知らないが、恐らく露子は年中貧乏とは縁の切れぬ小作百姓の家に生れ、親を助けるための健気な身売りであったかと思われる。露子とお揃いの服を着る里子も、二人揃って草の実をいっぱい着物にくっつけながら野山を駆廻った、幼馴染の似たり寄ったりの境遇なのであろう。住替えの際の宿下がりは雇い主によってさまざまだが、身寄りのない妓、親許の遠く離れている妓、目油断のならない妓などには与えられぬことを思えば、二人は今まで雇い主に刃向かった前科もない、生家とはさして遠くない土地の勤めであったかと思われる。二人は許された僅かな時間、打揃って町の呉服屋に出掛け、買った銘仙を村の仕立屋に頼みに行ったりして残された自由を懐かしんだことであろう。これから先、借金に縛られる身を思えば、故郷の畑から掘ったさきほどの小さな新芋には二人の涙も沁みている筈であった。それを思えば深い思いの込められている親の丹精の作物など、一かけらであろうと靫子などには分けられぬ思いがあったとしても、露子の不作法を責めるのは無理かと思われる。

考えてみれば、靫子が当然のように通っている女学校は、露子や里子など望んでも得られない境涯かも知れないし、また配給の銘仙とは較べものにならぬほど高価なデシンの服や、錦紗縮緬の着物も靫子は不自由しないだけ揃えてもいる。家には女中までいて、この年でまだ飯釜ひとつ炊いた経験もなければ、親が闇で買込む食糧で、欠

乏時代ではあっても飢(ひも)じい思いを感じた事もない。それでいて卑しい稼業といえども客がなければ成立たず、靫子の暮らしは皆、今まで「ああ嫌!」と顔を背けていたこの妓たちの稼ぎによって支えられているのであった。靫子が自由に買込んでいた本やレコードや、親から貰うたっぷりの小遣いにまで、露子や里子の躰が掛っている因果など考えたこともなかっただけに、それを二人に知らされた思いは冷たい掌で首筋を押さえられたように靫子にはひんやりと心にこたえる。今靫子が手にしている詩集のページにも妓の汗がにじんでいるかと見れば、それを知識のひとつと頼っていた自信さえ揺らいで来るようであった。

暁方、二人は互いに寄掛かって少し眠ったようであった。夜通し開け放しの窓から射して来る白い光で見れば、絶入りそうな里子の躰を寝た間もしっかりと片手で支えている露子の、小鼻の脇に膩(あぶら)の浮いた浅黒い顔は意外とあどけない。里子も露子も、古風な束髪(そくはつ)のスタイルから推測すればとうに二十過ぎには見えるものの、これで案外、靫子と大して違わぬ十七、八の若さなのかも知れなかった。さきほど人を弾き返す勁(つよ)さ、と見た一重瞼の重たげな露子の目も、やわらかく閉じていれば己(おのれ)の運命に泣き腫(は)れた果てかとも思われ、心を逆撫でされるような姿は里子ばかりでなく、野良で鍛えた頑丈な躰を恃(たの)んで幼馴染の借金までも背負おうとする露子でさえ、いまは危なげに見える。この世界、「朋輩(ほうばい)は笑(え)み仇(がたき)」と云い、人の幸福を踏躙(ふみにじ)ってまでも自分の出世

を願うきつい駆引から見れば、ふたりはよくよく深い因縁のもとに生れたものであろう。自分の借金が増えるのが怖さに、朋輩たちと分合って食べたすし大福から心付け、風呂賃までもきっちりと割振り勘定する廓のなかで、「私がお前の分まで働く」と繰返して露子が口にしているのは、ひょっとすると里子の上にもう死の翳をでも見ているのだろうか、と鞆子は思うのであった。

土讃線では遠足のように燥いでいた二人も、都会は初めてだと云う、その大阪が近付くにつれてだんだん言葉数が少なくなっているように見えたが、汽車が阪神の市街区に入るとさすがに露子が思い切りよく立って洗面所を見に行き、

「水も出よらんのに、満員や」

ここで髪だけでも梳かそ、と里子を励ましているのは、抱え妓として初めて奉公先に挨拶するための気構えでもあったろうか。露子が先にやや赤い長い髪からピンを抜いて背中にほどき、油の染みた梳き櫛で叮嚀に梳いているのを、草履を脱いで座席にちんまりと坐った里子が見て、

「その髪なら露ちゃん、向こうで働くとき日本髪に結えるねえ。私は抜け毛が多うなって、もう鬢付けはつけれんようになった」

と小さな声で嘆くように云う。

代わって里子の髪を、立ったまま露子が梳いてやりながら、

「何もお前、この頃は日本髪を結わんならん事はないよ。これ程黒い髪じゃもの、束髪にしても似合うやないか」

と慰め、互いに肩のふけなど払い合う姿には強い筈の露子でさえ、云わずとも心細さがひとりでににじんでいるように靫子には見えた。

大阪駅に着くと、約束の改札口に栄楼と染抜きの小旗を持った国民服の番頭が立っており、向こうから駆寄って来て「西田の嬢(いと)さん？」と確かめてから靫子の荷物を受取り、

「お疲れさんやろけど、電車で行きまひょなあ。大阪もこの頃は自動車なかなか乗れしまへんのや」

とやわらかく云いながら、先導してゆくのであった。

二人は、車内でお目見得の用意を整えたあと、まだ見ぬ勤め先への不安が急に濃くなったのか、おぼつかなさそうに粂吉に聞きかじりの栄楼の噂など口にしていたが、ずっと里子を力づけていた露子でさえ終いにはとうとう黙り込んで了い、それは駅で番頭に会ってからなお固い表情に変わってゆくようであった。とうに覚悟はしていても、初めて都会へ出る上に、荒っぽい朋輩も多いと云う大きい廓は必要以上に二人の不安を掻立てるものであろう。

傍目(はため)にも判るほど元気を無くしている二人は電車の中でもじっと口を噤(つぐ)み、目を落

して固く身を寄合っている。高知では見る事もない都会の雑踏に二人とも視線さえ動かさないのは、よほど緊張しているのかと鞆子は思い、傍に寄って何か話しかけてやりたい気持はあったが、今さらそんなわざとらしさは自分に対しても恥ずかしくて出来なかった。すっかり呑込み顔の場馴れのした番頭も吊革に摑まって二人の前に立ち、短い劬わりの言葉をときどきかけてやっているのを見れば、二人とも住替えはこれが初めての案外擦れてはいない妓たちなのかも知れなかった。

電車は花園橋で降り、ほんの五、六分歩くと大きく組上げてある大門が見え、その大門を潜れば高い軒を隙間なく並べて繁昌を競う飛田遊廓で、柳並木が続いている中央植込みの左側に栄楼はある。

栄楼の店構えは群を抜いて大きく、古びた格子のあいだの甃で畳んだ玄関は、青い孟宗竹で垣をあしらい、垣の内側の両方の壁には金縁の額に入れた抱えの妓の盛装した写真を、源氏名入りでずらりと掛けてあった。写真は目で数えても七、八十か、もっとはあったろうか。車内で露子が云っていたように高島田、結綿の日本髪ばかりでなく、束髪もあれば花飾りの帽子を被った洋装もある。

朝帰りの客がいるためか玄関はきれいに掃いてはあったが、夕方の賑わいのように山形の盛塩もなく水も打ってはいなかった。式台の正面には、人の背丈ほどもある柱時計が重そうに時を刻んでおり、その振子の金色も沈んで反射が鈍いように、建物全

体ひどく暗かった。昔、靫子たちが通学のときその枕許を通って行った遊廓は田圃に向かっていただけに、暗くても風が通っていたのに、此処では空気も蒸れてじっと澱んでいるように思われる。この家の、数え切れないほどたくさんの部屋のひとつひとつに、壁の写真の妓たちは悉く閉込められ、来る日も来る日も泣いたり嘆いたりしているのではないか、ふと不吉な妄想も湧いて靫子は、後に黙って立っている露子と里子を振返ってみたりする。二人は汽車の中でも、

「向こうへ着いたら、なるべく離れんように居ろうね」

と幾度も云合っていたが、この迷いそうなほど広い建物の中でその願いが果たして叶えられるものであろうか。

式台の隅の、遣手婆の坐る丸い木の腰掛に主のいないのを見て、案内の番頭はやや声を張り、

「お客さんお着きや」

と云うと、袖無しのアッパッパを着た年寄りが裾から縮みの腰巻を三寸以上も出した恰好で小走りに現れる。

皆が荷物ごと大時計の前に上ると、露子と里子はその場からすぐ年寄りに引立てられ、まことに慌しく左奥の廊下へ去って行った。あっけない別れであった。せめて靫子が付添い、揃って女将に挨拶してから部屋に下ると思っていたのに、あの目付き

の狡(ずる)そうな年寄りは、一ときも早く二人に赤い長襦袢を着せたかったものであろうか。

トランクを両手に提げたいかつい肩の露子、かげろうのようにゆらゆらと蹤いてゆく里子の、擬(まが)いものの絹擦れの音を引いた後ろ姿が長廊下の先の暗い曲り角に消えたあと、靫子は旅の終り頃からぽとぽとしきりに胸に滴っていた二人への哀れが、一度にどっとせつないほど押寄せて来るように思えた。この大時計の下を境いに、靫子がこれから家の職業とは関わりのない世界へ好きなように飛立てるかたわらで、二人は重い手枷足枷(てかせあしかせ)にうめきながら、この廓の囲いの中にがっしりと引据えられる。靫子が学校の差別を呪ったように、二人もどんなにか自由が欲しかろうと思うと、昨夜、車内で聞いた里子の、

「涙は悲しいときばっかりじゃ無うて、嬉しいときも出るねえ。可笑しいときも出るねえ」

と云っていたか細い声がふと耳に聞えて来る。どこの遊女屋でも、暗い蒲団部屋からは夜更けて悲しい歔泣(すすりな)きが聞えると云うけれど、里子ばかりでなくこれから先、自分の弱りを幼馴染には見せられぬ露子の涙は、そう云うひそかな場所でしのびやかに滾されるのではなかろうか。あの赤毛に赤い飾りをかけて日本髪に結い、こうこうと目を光らせながら病身の朋輩を庇(かば)い続ける女の姿は、この陰気な建物の中に立って靫子によけい悲しく迫って来るようであった。

番頭は靫子を促し、二人とは反対側の右奥を鉤の手にいく曲りもした先の部屋に案内したが、ここは南面の明るさが一瞬眉の晴れるような贅沢、と靫子には見えた。夏でも涼を立てて鉄瓶を鳴らせている長火鉢の前に坐っていた女将は、武造がつねづね褒めている通り商売に似ぬもの静かなひとで、いまも、染めてでもいるのかしつこい程濃い髪を形よく耳隠しに結い、暑さも見せず素人柄の木綿浴衣を着てきちんと帯を結んでいる。

靫子を見ると愛想よくねぎらい、

「さあ、横膝して楽におしやす。夜汽車でお疲れでしたやろ。お父さんもそう折角やさかい、ゆっくりうちに逗留して遊んで行かはったらええ。

せえ云わはれしませなんだ?」

とそつなく話しかけても露子里子の話には触れず、かたわらでは、ときどき顔を出す下使いの法被に何やら短く、てきぱきと仕事の指図も与えている。

ここを女将の居間である「奥」とするなら帳場も庖丁場もすぐ廻りにあるらしく、ものを煮る匂いも流れて来れば食器の音もし、入口の紺暖簾の下の黒光りした廊下を、白い素足がしきりにひらひら、ひらひらと行交いする。やがて靫子の食事が出来たらしく、鉢巻の板前が膝をついて、

「嬢さん、こっちゃへどうぞ」

と誘うのを女将は止め、

「此処へ持って来たげてんか。この節は格別御馳走もないさかい、明るいところで話でもしながらゆっくり食べて貰うほうがよろしやろ」

と云い、運んで来た高脚の膳を南側の濡縁近くに置かせ、朝飯は摂らない習慣と云う女将は長火鉢の前にいて靫子に勧めるのであった。

　膳の上は芋も大豆も入っていない眩しいような白米で、朝食と云うのに皿数も多く、傍にはガラス鉢に盛ったみずみずしい瑠璃いろの葡萄も添えてあった。箸を執るとき、靫子は汽車の中の新芋の鮮やかな紅を思い浮べ、あの二人はこの家で最初の朝飯を何処で食べさせて貰っているだろうか、と思った。この世界では抱えの妓に食事らしい食事を殆ど与えず、「飢じかったら自分でお稼ぎ」とうそぶいている楼主もいる由だから、悪くすれば女将に習って、ここでは皆が朝飯抜きなのではあるまいか、などとも思われる。それを思えば、走りの新芋を掘って親の餞けを口に入れた昨夜の二人は、最高で最後の御馳走を味わったと云うべきであったろう。これから先あのひとたちは、飢じい思いを怺えながら眠る夜の夢に、たびたび故郷の芋畑を二つとない思いで見るのかも知れないと思うと、靫子はふっと、食べているものが咽喉につまるような感じがあった。

　子供の時分から父親に連れられ、大阪では曾根崎でも飛田でも、今里でも宗右衛門

町でも手厚いもてなしに預かっていい気分を疑いもしなかったのに、今度ばかりは女将の、

「初日が開いたら芝居へも行きまひょなあ。不自由になった云うても、美味しいもんやったらまだ闇で食べさせるとこ私知ってますよって、其処へもお連れしまひょなあ」

と云う心遣いを素直に聞けないのも、ともすれば、しおしおと廊下の暗がりに消えた露子と里子の上に気持が引戻されるせいでもあった。昨日高知駅を出てからとうとう一言も言葉を交わさず、大時計の下の別れでさえ無論「おおきに」も「さよなら」も聞くことのなかった二人だったが、今頃は露子里子別々の小部屋に引離され、これまでは鞆子一人だけの不幸と考えていた「こんな家の子に何故生れた」怨みを、きっと二人ともそれぞれの境遇で深くなぞっているのではあるまいか、と思うと、今日まで見えなかった自分の姿を鞆子はそこに見たように思った。

長い間、藤蔭での操行判定を悉く家業のせいと憎んで家を出て来たけれど、商売女を不潔と蔑み、自分だけ別世界の人間と劃していた思い上りの目を、ひょっとすると鞆子は級友や教師たちにも向けてはいなかったろうか。点取虫のタイプではなくとも、得点を自由に操作出来る能力と自惚れていれば、不出来な級友への高慢無礼、教師に対する増長も目に余る態度に出ていたかも知れぬ。それが生甲斐、と首を上げ鼻を高

くしている裏側で、鞆子の傲慢横逸に嫌な思いをさせられていたのは露子や里子のような稼業の人間ばかりでなく、ごく普通の廻りの人たちまでそうなのかも知れなかった。

鞆子は、皿の葡萄をひとつひとつ口に含みながら、自分は今まで両刃のナイフをところ構わず振廻して気張っていたのかも知れない、と思った。露子里子の哀れをひとり背負わねばならぬことはないかも知れないが、自分だけを云えば操行は甲、と胸を張る思いは薄れている。

高知を出るときの、学校からも家の看板からも解き放たれた晴れやかな自由の思いは少しずつ萎えて来ており、このあとの身の振りかたを考えることも億劫になっている鞆子に、女将はこれから横になって一休みするか遊びに行ってみるかをやさしく訊いてくれたが、鞆子は落着かない気持のまま町へ出たい旨返事した。女将はその場で手を打って番頭を呼び、

「まだ時間も早いよって、そこの活動写真、嬢さんにどないやろ」

と案内するように云付けるのであった。

番頭に案内されて再び大門を抜け電車通りに出ると、来るときは気がつかなかったが、停留所の前に小さな映画館があり、立看板が道までせり出している。番頭は入場券を一枚買い、鞆子に渡して、「ほな嬢さん、ゆっくり見てまたお帰りやす。晩には

女将さんがええとこ御案内する云うてますさかい」

と伝えると、日陰に寄りながら下駄を鳴らせて帰って行った。

番頭の後ろ姿を見送ったあと、鞆子は立看板を眺めて暫くその場に立っていた。看板には大きく「歌行燈」と書いてあり、入江たか子らしい女優の、眉を寄せた愁い顔のペンキ画があった。映画館の前に立つのはいく年ぶり、と考えながら強い興味を惹かれているのに、何故か鞆子の足はその場から前に進まなかった。

それは生徒心得のような規則ではなく、今まで見もせず見えもしなかった自分の裏側を、あの暗い大時計の下で見て了ったせいなのだと鞆子は思った。看板を見ながら掌のなかで折畳んだ入場券はじっとりと汗ばんでおり、ふっと空を仰ぐと、いつの間に拡がったのか強い陽射しを掠めて薄墨のような雲が北へ奔っている。やっぱり一日遅れで二百十日の台風は来るのだろうか、と考えながら、鞆子はその場に佇んでいるのであった。

連

—

「裙子連」を、とお望みやすのでっか？

真珠屋のわてが、望まれたものを売らんやいうことは、えろう奢ったことでっけど、これだけはこらえておくれやす。

他の連なら、あんさんですさかい、それは格別安うお頒けしますけど、かんじんの裙子が居らんようなった今、せめて手許のものだけでも残しておき度う思います。

その手許のもの、いいましても今はもうなんぼもあれしまへん。わてらは、「裙子連」を売ってずっと暮らしてきましてんが、今思うと、何もこれを売らんかて何とかくらしていけたのに、と悔まれるのだす。裙子のしごとの量は寡なかったですよって、つないだ連を全部手許に置いたところで、何も始末に困るほどの数やあれしめへん。むしろ、「真珠の家」と呼ばれる、この家を飾るにふさわしいほどの数やと思うのだす。

できもせえへんことだすけど、裙子のつないだ連を全部、一つもあまさず買戻して、ここへ保存したい、わては今になってしきりにこない思います。

そないなことしたら、「裙子連」の値うちが世間にわからへん、といわはりますやろ？

　わてはそれでええのだす。

　その方がええのだす。

「裙子連」は売ることによって人が認めてくれはりましたけど、裙子はそれによって苦しみましたよってにな。

　いいや、そうやない……苦しんだのは裙子や無うて、わての方かもしれまへん。裙子自身は、世間的な評判とか名声とかいうものについて、すこしも気にしてなんだ、というのがほんまですやろ……

　裙子のはなし、聞いとくれやすか？

　若いときからごてごていうのが嫌いで、愚痴ひとつこぼしたことのないわてでしたけど、あんさんには何やこう、この長い話聞いて欲しい思うのは、これが年齢というものでっしゃろか？

　考えてみれば、わてももう間ものう六十だす。世間の常識からいえば、もう老後の計画でもたてて安穏にくらしてるころですのに、裙子のはなしすると、今でもこない取乱してしまうのを、わてはお恥ずかしいことや思います……

まだ気分も落着いてえしめへんよって、充分な話はでけしめへんと思いますねんけ

ど、せめて「裙子連」のはなしだけでも、あんさんにわかって欲しいと思うのだす。

「裙子連」の値うちのことでっか？　それは、あんさんもよう御存じですやろ？　そやさかい、わざわざこの三宮くんだりまで訪ねてみえられたんと違いまっか？

売りもせえへんのに、見せびらかすみたいで悪うおますけど、ほれ、この連をように見とおくれやす。一連七十五の珠が、この電燈の灯りをうけて、全部おんなじ角度で反応してますやろ？　つまり、珠のうちからの光沢が同じ性質のものばっかりを集めて連を組んでるのだす。しかも、珠の大きさは三分五厘玉から一分八厘玉まで六通りもありますのに、色はむろんですけど、巻きの厚さから形まで、全部統一されてますのんだす。

連通しは、普通常員さんで平均して一日三十連くらいですのに、裙子はうんと気張って六つ、普通でまあ四つ、という数でした。これでみましても、裙子がどんな念入りなしごとしてたか、ようおわかりですやろ。

ヨーロッパ市場で、この「裙子連」は、えろう高値をよびました。小売店の飾り窓においても、貴婦人の胸を飾っても、他の連とは比べものにならん位、品ようみえる、いわはって、「キミコレーン」とおかしななまりで呼ぶバイヤーさんらが、奪いあうようにして買うていくのんだした。

裙子が連通しを始めたのは、いくつ位のときでしたやろか。わてが偶然に二木本はんの真珠組合へはいったのとちがい、裙子はしんから真珠が好きで、自分からすすんでこのみちに入ったんやいうてました。

しかし、わては、裙子が真珠という高貴な珠に興味をもったことをふしぎなことや思いました。裙子の家は、おやじさんが官吏してて、ごく普通の中流家庭だす。当たりまえの女のコース辿ってたら、裙子の指は自分の装身具としてでもおそらく一生、真珠いうものには触れなんだやろと思うのだす。

わてが不審がって根問いすると、裙子はいつも不機嫌になり、「好きなものはしょうがないやないか」と怒ってしまうんですけど、それでも機嫌のええときの話では、なんぞのときおふくろさんがくれた珠が病みつきのはじめやといいます。

「これ、本真珠やで」といわれて、しげしげ眺めてるうち、珠を産む貝の神秘さいうか、そんなものに魅入られてしまい、もう片時も珠と離れられへんようになったんやそうです。それで、その頃土佐の高知のはりまや橋にあった真珠の小売店へ勤めはじめました。

当時は、女学校了えるとみな家庭で花嫁修業やるのが普通でしたよって、裙子が、勤めに出ることについては、なかなか家のものの反対もおましたやろ。しかし、こと

真珠にかけては、何の顧慮ももたへんという強さが裙子にはおました。そやさかい、誰が何といおうと、真珠のなかに浸っていたかったんや思います。

しかし、ここかて裙子の満足できる場所やあれしめへんでした。何故かて、この売場では、製品の売買しかしよらしめへん。ただ眺めるだけでは次第にたよりのうなって、裙子は、真珠の産まれる養殖場に憧れて、土佐浦の内湾の北川真珠へはいりました。

この年にわてと知り合うて、それから連を組みはじめたのですさかい、年齢はもうはたちにはなってましたやろ。技術屋としては、ちょっと年齢をとりすぎてましたのに、連組最高の技術者として二十何年もそのおとろえを見せなんだというのは、全く裙子は真珠の生れかわりみたいなもんやった思います。

そや、生れかわりといえば、裙子は珠をそれはそれは大切に扱いました。

わてかて、そら、珠は大切にします。

何しろ、生きてるアコヤ貝を殺して、その貝が三年も四年も抱いてた珠をとり出すのでっさかい、あだやおろそかには思われしめへん。疵がつかんように、光沢があせんように、細かい神経をつかいます。

しかし、わては商売人でっさかい、あくまでも商品価値としての扱いやったんですけど、裙子の珠に対する心がまえは一寸違うてました。

「貝の魂は、珠にのりうつるのやな。珠が生きてるいうことは、連組してるとようわかるで」

というてましたから、全く生きものとして珠をみていたのですやろと思います。

戦後の常員さんたちは、ガーッと音たててグライダーで穴明けし、珠を計り筥へ入れて、ざらざらっとゆすります。こうすれば三分玉、二分玉、一分玉が正確に分けられ、苦労せんですむのです。それをピンセットで、びろうどを張った連組台の上へ並べるというやり方で、手もとの早いひとなら一日四十連以上も組めました。

裙子は、こんな扱いを憎み、「珠が死んでしまう」いうてえろう嫌いました。穴明けは仕方ないにしても、計り筥やピンセットは絶対使わず、カンと指先をたよって、機械以上に正確な連を組んだのだす。

そのため、裙子の指先ときたら、どだい人間の皮膚いうもんやあれしませなんだ。ぴたっと吸いついてくるようで、そのくせとろりと滑らかで、触れたものにまつわりついてくるみたいだっせ……

むろん、こんな柔らかい手にするために、裙子はしょっちゅう気いつこうてました。ひまさえあれば、レモンの輪切りで指先を磨くし、爪は破傷風にならへんのやろかと思う位、短こうに剪みつけてやすりをかけ、夜は手袋まではめて寝るのんだす。

「せめて、寝るときぐらいは真珠のこと忘れたらどうや？　その手袋脱いとき」

夏もはめてる手袋をみて、わてはうっとうしいなってこないいうと、

「なにいうてんのや。バチ当たるで。貝の珠盗っ人して儲けてるくせに。この手袋は、うちの真珠への操立てや。ほっといてえな」

えらい剣幕でおこりましてんわ。

あんさん、どない思わはります？　こないな裙子の神経を。裙子のいうように、わては珠盗っ人でっさかい、裙子の神経を異常やと感じるのですやろか？

「くびかざりの芸術」とまでいわれた、「裙子連」をつなぐ人でっさかい、そらあたり前の人間とはちょっと違うたところのあるのはわかります。

そやけど、真珠への操立てやいうて、二十何年手袋をはめ通した裙子の神経いうものは、人間並みのもんやあらへんと思うのだす。さきほど、わては真珠の生れ変わりといいましてんが、ほんまに裙子が真珠の化身やないかと思うたことは、一度や二度ではありませせなんだ。

第一、裙子は自分の仕事場へは誰もはいらせへなんだんどす。別に鍵かけてるわけやなし、入ろう思えば入れへんこともなかったんですけど、裙子も喜ばなんだし、わても何やしらん、連組してる場を見とうはありませなんだ。

それでも、どうしてもかなわん用ができて仕事場へはいったときなど、わては何やうしろめたさに、

「裙子、ちっと休んだらどうや？」

と声かけますやろ。仕事場の裙子はそんなときでも返事もせえしめへんのだっせ、わての顔をじっと見返すだけでした。

わては正直いうて、その目が恐うおました。強い言葉で拒否されるよりももっときつう拒まれてるのだす。珠盗っ人やと蔑(さげす)んでるのだす。

それが、淋しゅうもおました。

仕事場の裙子は、もはや人間やない、という錯覚をわてがいつからかもつようになったのも無理ないと思います。

裙子ひとりの仕事場は、第三者の入りこむ隙間もないきびしい空気が、張りつめてたように思います。又、意志をもたない、虚しいもの相手のしごとは、それを裙子が生きものとしてとらえただけに、執念の燃えさかる緊張の場でないと、裙子のしごとはでけしめへんでしたやろ。

裙子はそれに、珠筥の中かきまわして、「選る」いうことをしませんでした。裙子と貝の魂との澄切った流れのなかで、少しの迷いものう珠をとりあげ、それを一連のうねりに一粒ずつ加えていくのんだした。

このことは、いつか朝御飯のとき、裙子がいうたことがおます。そうや、しじみの汁がついてた時だしたな。わては、お椀のなかがちゃがちゃかき廻してしじみの実を

漁(あさ)ってるのに、ひょいと裙子を見ると、すいすいと音も立てずに実を拾いあげてるのだす。その箸さばきがとても鮮やかで、品ようやってるので、わては暫(しばら)く見惚れてました。

「裙子、うまいもんやなあ」

というと、裙子は機嫌よう笑って、

「これが連通しの極意や。選ったらあかん。狙いをつけるのや」

わてはそれを聞いて、裙子の一番の武器は目えの利くことや思いました。実際、裙子の目ときたら、底なしやと自慢してただけあって、どんな細かいものもよう見えました。後に、裙子が自分の目にある信仰をもつようになったのも、若い時からのこの自信があったせいやと思います。

ひと頃、裙子はいびつなバロック玉ばかりをつないでたことがありました。バロックは全部というてええ位、厚巻きですさかい、バロックにこそ真珠のほんまのいのちいうものを感じたのかもしれまへん。

裙子はよく、「珠のちから」ということをいうてましてんが、厚巻きの珠は、底からの光沢(てり)が重々しゅうて、ちからがあるみたいに見えたんだす。

バロックはヨーロッパのバイヤーさんたちが欲しがりました。ピンクの薄巻きを喜

ぶアメリカさんとは違うて、古いものや伝統を尊ぶヨーロッパ人は、バロックの「裙子連」を宝石以上に珍重したのだす。

バロックは光が多彩な上に、何や底知れん神秘さいうものをもってました。りんの形や、さざえみたいなのや、だ円形や、平たいのや、さまざまな乱れた形が、一本の絹糸によってつながれると、そこに一つのちからの流れが生れてくるのだす。珠は、いずれもきびしい裙子の目に適うたものですさかい、ひとつひとつ、思いのままの形で生きてて、そのくせ連としてみたら、そこに又裙子の意志を受けて、統一されたみごとな美しさをみせてるのだす。

黒いびろうどの台座の上に載せると、珠はピンクや黄金や青や、ときには紫や赤に反応して何ともいえん豪華な雰囲気を出してました。

裙子はこれをつなぐのに、きつうに選びましたさかい、連はわずかしかでけしませんでした。何百匁、ときには何貫匁というバラ珠のなかを選っても、一連もでけなんだこともおます。こんなでしたさかい、裙子がバロックを売りたがらなんだのはムリもないことや思います。わても又、売りとうはありませなんだ。値え吊上げるための売惜しみやのうて、量産がでけへんことと、裙子の意志もあるし、なるべくなら商品にしとうなかったんどすけど、それでも強ってといわれて、お頒けした方もおます。

わての記憶では、ここ以外のバロックの「裙子連」は、世界で八つしかないはずど

す。そのうち、チョーカーに組んだ長い連は、地中海沿いの、小さいお国のお妃さんがお買上げになられた、いうてましてんから、あとの七つはどこでどんなおひとがお持ちのことですやろか?

数少ないものでっさかい、調べたらわからんことはありまへんやろけど、調べても戻してくれはるわけやなし、なまじ持主を知ってることは今のわてには辛いことだす。初めにいいましたように、この家を、いいや裙子の部屋だけでも「裙子連」でいっぱいに飾ってやりたい思うてますよってに……

「裙子連」を商うてきたわての二十何年の真珠稼業も、いうてみれば裙子とともに終りを告げたということですやろ。しかし、売りも買いもならん「裙子連」は、商売人にとっては無意味なものになりましたけど、裙子とわてとのつながりにおいて考えてみれば、今は何やこう、落着いてすっかり安堵した気分だす。

何故かて? ほれ、この家にある「裙子連」は、もうどこへも流れていくこともなく、正しくわて一人のものになりましたよってに……わて、唯一人のものですよってに……

二

わてが勤めた真珠組合は、大阪の土佐堀におました。昭和二、三年の頃やった思い

ます。当時、真珠業者は、全国で四十軒しかありませなんだけど、そのうち三十九軒までが二木本の資本によるもので、残りの一軒が土佐浦の内湾の北川はんやったんどす。

北川はんは、珊瑚の採取に失敗しはって、真珠養殖に切替えられたんだすねんけど、当時は真珠いうたら、二木本はん以外には考えられんような独占事業でしたさかい、素人はんが見真似でやらはるのは、なかなかの苦労だした。

大阪土佐堀の大同ビルで年一回開かれる真珠市場に、浜揚げした珠を北川はんがもってきやはると、よってたかってそれを加工業者が買叩く、そらむごいもんだしたな。二木本という銘柄のない珠は、質が好うても値うちされへんのだす。北川はんはようわてに、

「あほらしなるときもありますで」

と洩らしてはりました。そのたびにわては、

「北川はん、元気出しておくんなはれや。浦の内は採来有望な漁場でっさかい、きっと実力で二木本はんを凌ぐようになること、請合いですわ」

と、当時まだ三十にもなってへなんだわてが、六十近い北川はんを生意気にも励ましたりしてたんだす。

いいや、励ますいうよりか、北川真珠をやめさせたらあかん、という何とないわて

自身の義憤に似た気持やなかったんですやろか。

その北川はんが突然、死なはりました。

昭和九年ごろやった、思います。北川はんは間も無う土讃線が開通するというニュースをもって来られ、

「来年になったら汽車で来られるで」

というて喜んではりましたのに、その汽車へ乗ることもかなわず、ぽっくり逝かれた、いう知らせが組合にはいったんだした。わてはすぐ漁場はどうなるやろ思いました。北川はんの珠はどれも赤味がかった栄養のええ珠で、これは漁場のええ所にしか採れんもんだす。もし、北川はんのご遺族が、漁場をどこぞへ売らはるねやったら、わてが買うてやってみたろか、とはっきりした決心ではないけど、呆んやり思うてもいたんだす。

しかし、組合へは奥さんが続けてやらはることの報らせがはいってました。

そして、昭和十年の暮れに、開通したばかりの土讃線に乗って、裙子が北川真珠を持ってわての前に現れましたんだす。

市場は神戸の東亜ホテルだした。

わてがホテルのロビーに居たとき、見馴れた北川はんのトランクを提げた女の子がはいってきましたんだす。わてはその子の顔みたとき、何やしらんハッとしました。

胸がドキドキしました。そのくせ、早う声をかけんならんと急ぎました。わてはもともと人さまに愛想のええ方やあれしまへん。こちらからものいいかけて近づきになったことなどあんまりないのに、この時ばかりは早う裙子に近付かんならんと思うたんだす。

べつに変わった恰好してるわけやなし、梅の花模様の地味な銘仙の羽織着て、髪を束髪にして、普通の娘さんとちっとも変わらしまへんのだっせ。とりたてていうたら、女にしては背の高いことと、紫別珍の色足袋をはいてたことでしたやろか。

わてが、この裙子を最初見て何故ハッとしたかということは、だんだん考えてるとのちにようわかってきましたんだす。

それは、二木本はんが養殖いう日本独特の真珠産業を始めてから、養殖現場は別として、市場へ出すのも、それをせりおとすのも、すべて男ばっかりの仕事やと思われてたことによるものだした。

わてが組合へ入ったとき、「お前、こんなところへ何しに来た」と無遠慮によう男たちからいわれたもんだした。組合の人間も業者のひとたちも冗談めかして、

「おさとはん、お前もうええ加減でお嫁にいきいな。ここは女の居るところやあらへん」

とお為(ため)ごかしにいわはるのだす。

「お嫁に？　いったいどこへいくのや？」

「これほど男相手のしごとしてるのに、彼氏の一人ぐらい作らんかいな。甲斐性なしやな」

「おおきに、作ろうと作るまいとわての勝手や。ひとの世話やかんと自分でええ商売しい」

わてもぽんぽん撥ねかえしてやるのだす。みんながこないわてにいわはるのは、その底に二つの理由があるとわては考えてました。

その一つは、わてが二木本はんの組合におりながら、その独占事業をいつも批判してたことへの風当たりと、もひとつは女なんぞにしごとができるものかという蔑みからなんだす。

わても自分でもようわかっているくらい、つむじ曲りやよって、こないいわれるとそうだっかとひっこむわけにはいきまへん。

瀬戸内海の小さい島に生れ、しょうむない男に仕えるよりは、一人で身過ぎしたい思うて大阪へ出てきたわてだす。北川真珠の足もとにつけこんで買叩くような了簡の狭い男どもを何で亭主に選べますかいな。

な、そうでっしゃろ？

真珠産業は、このころからもう二十五、六年経ってる今でも、北川真珠をのぞいて

は、大手資本によるものか、漁協組なんぞの共同経営かでないものはないのだす。中小企業が基になってる日本のような経済のしくみの中では、真珠産業くらいは小資本で伸ばしたらええと思うのだすけどな。

わては、もともと組合へは市場のせりとして入りました。それまでは銀行へ勤めてましてんが、昭和二年ごろの不況時代にその銀行がつぶれたんだす。そのとき、「おさとはんみたいなお転婆やったら、ひょっと勤まるかもしれへん」と世話してくれるひとがあって、空いてたせりの席へ入れてもろたんですけど、馴れるにしたがって、わてにはいろいろなことがわかってきました。

業者とせりが結託すれば、ある程度まで市場の値を左右できますし、その気になれば業者からピンハネもできるのだす。もっと悪いのになると、組合を通らず裏口で取引させるし、気にくわん業者をつぶしたろ思うたら、それさえできへんこともないくらいだした。この仕事は主に外国人相手でっさかい、値というものもふくらませばかなりなところまでもっていけます。国内産の九割まで外国へ流れるのですよって、取引も弾力をつけることができました。

こんな世界に居て、わてが男たちから得たものは、おのれの儲けのためならどんなものでも犠牲にして平気やいう、いやらしい根性だけだした。わては、男いうものに愛想つかしていたんだす。

こない思うことによって、わて自身の女である意識もなくしてましたやろ。年とるにしたげて女っ気から遠ざかり、髪も男刈りにしていつもズボンをはくようになったんだす。男と互角にわたりあう仕事の内容からしても、じゃらじゃらした女くさい服装は避けた方がよかったんだす。

べつに伊達男を気取ったわけやあれしめへんで。御覧のように、わては寸づまりで、顔もおかめでっさかい、どない恰好しても見ようはないのだす。同じみっともないなら働き易いように、実利主義のわてはこのズボンを選んだのだした。ズボンは今でこそ皆さん穿きなさるけど、当時は女のズボン姿いうのは珍しゅうおましたな。これが真珠組合の名物にされてたのも、半分以上は非難する意味からでしたやろ……

ホテルのロビーに立ったそのときの裙子は、まるきり「女」やったんだす。それを見てハッとしたわても、いつのまにかこんなところに女はふさわしゅうない、場ちがいやという考えが習慣になってたかもしれまへん。

そやさかい、荒くれ男たちのさらしものにしたらあかん、女である裙子をかばわんならん、という気持が強うあったのや思います。市場のしきたりや何かを、何にもしらん裙子につきっきりでわては世話しました。無遠慮でいやらしい男たちの目からできるだけ守ってやりたい思いました。

そしてこの夜、大阪上二にあったわての下宿へ裙子を連れていったのだす。裙子は、初めて見る市場の感激を熱っぽく素朴な調子でわてにしゃべりました。

真珠はあらゆる種類を揃えて東亜ホテルのホールを埋めつくしてましたよって、裙子にはよほどの驚きやったとみえ、のちになってもくりかえし、

「あの東亜ホテルの真珠見たときには、ほんまにうち、気が狂うんやないやろかと思うてんわ。あんまりきれえで」いうてました。魂を奪われるほどにも思いましたやろ。

真珠を見て素直に喜ぶ裙子を見てると、わて自身も何や救われるような感じでした。男達の間で肩張って暮らしていかんならんわても、やっぱりどこかでほっと肩を落して安らぎたい気持もあったんですやろ。裙子の持ってきた珠を、精一杯ええ値で売捌いてしまうと、わては暫くひきとめて、阪神見物をさせました。

わては平生遊ぶ方やなし、名所案内は柄にも無うて、不馴れでまごつくのへ、裙子は裙子で名所旧蹟なんぞにちっとも興味を湧かさしまへん。結局、どこを歩きまわっても、二人の話題は真珠ばっかりで、疲れて下宿へ戻っても又夜なかまで真珠の話してるような調子だした。

裙子の滞在したこの一週間は、わてにとって大きな運命の拓け目になったと思います。裙子が土佐へ帰るとき、わては思いがけも無う、胸がしめつけられるように苦しいなって涙ぐんでしまい、自分でもあわてたことを、昨日のことのように思い出しま

す。こんな人間らしいやわらかな感情を、いったいわては何年のあいだ忘れていたことですやろ……

或る意味でいえば、わては「女」というもんやないかもしれません。しかし、勿論「男」でもないわては、この世の中ではいつも一人ぼっちだした。そして、その運命(さだめ)は、わてが本能的にちゃんと知ってるもので、さびしいとかかなしいとかいう甘いもんやあれしめへん。男達に交って、わが前を切拓いていかんならんわては孤独な生活の設計を、自分自身に強いてました。そうやって、わて自身を鍛え、自信を養っていくより他、わての生きるみちはないと思うてました。

こんなわてにとって、裙子は全く文字通りの救いやったのだす。救いを感じるところにわて自身の第一の弱りがありました。この、時折起る弱りは、齢と共にひんぱんになってくるのんだすけど、このことを考えると、裙子をようも得た、と思うのだす。もし裙子も知らなんだら、わてはこの弱りにどないしてたちむかっていたことですやろ。

裙子が高知へ帰ったあと、わてはどうしても裙子が必要やと思いはじめました。どないしてでも裙子と一緒に暮らしたいという強い願いをもつようになったのだす。どおかしいと思わはりまっか？

真珠界で長い間ひとりで堪えてきた女が、やっと女の仲間みつけた、というようなものやありまへん。女同士ならどんな女でも弾きあうもんですさかい、これ程強うには求めなんだ思います。

そやさかい、わてが男として裙子を求めた、いわれても仕方はおへん、事実そうやったかも知れなんだのだす。しかしその上に、裙子のもってる真珠への深い憧憬ということもおました。もし、裙子にこれがなかったら、わては自分の対象として考えたかどうかは疑問やと思うのだす。

このことは逆にいって、裙子から珠盗っ人やいうて誹られる結果にもなるのだすけど、結局はわても裙子を通じて真珠を単なる商品でなく、高貴な珠として敬う気持もあったのですやろと思います。

わての下宿の灯りでみる裙子はきれいだした。土佐の潮風に吹かれて育った筈やのに、肌の色がピンクがかって、いまはパリに帰化した画描きはんがよう描いてはりましたな、あの「真珠いろの肌」というものだした。それに、濃い眉と眉の間がきゅっと迫って、それがとても意地悪な感じに見えるのだす。わてはこんな裙子の勝気そうな顔つきも好きだした。

裙子の性格もまた、この顔つきが表わしてるように、妥協のない、生一本な強さを

もってて、わてはこの為にずい分いじめられもしました。あんさんは、わてが裙子にいじめられた、いいましても本当にしはれしまへんやろな。これだけはわてとよう似て、人嫌いで無愛想な雰囲気が、人さまにはとてもおとなしい子やと受けとられてましたよってに……

わてにはずい分な我儘いいました。二人の長い生活のなかで、いつも譲歩するのはわてで、裙子はいつもいい分を引込めることがありませんでした。

いつか、鏡台に向かって髪を梳いてたとき、裙子は振りむいて、

「なあおさとはん、うちはいったいきれえなんか？　きれえやないか？」

と問うたことがおます。「美人に決まってるやないか」といおうとして、わてはその眉の濃さが気にかかり、口ごもってしまいましてん。裙子はわての沈黙を否定と受けとり、しかし失望もせず、

「そうか。うち、きつい顔してるもんなあ」

と眉のあたりを撫でてるのだす。わてはそんな裙子がふといとしいなって、鏡のそばへ寄り、裙子の肩を抱いて、

「裙子の顔がきついのは、性格がきついからや。やさしいなったら、顔もやさしいなるわ」

というと、和んでいた瞳が俄に冴えて、

「そうか。そんなら汚のうてかめへん。顔のきついの、好きや。うち」
とわての手をふりほどき、平気な顔して又長い髪を梳くのだした。こないな強さ、いや冷淡さ、いいますか、わてには真似のできへんことだす。わては裙子のこの強さに屈伏しながら、わての方で寄添うていかなんだら二人の生活には破綻を生じる、というわきまえはもっていたのだす。

裙子が高知へ帰ってから、わては裙子との共同生活の設計をたてました。それは、女ばかりで細々やってる北川真珠に養殖技術を導入することと、珠いじりの好きな裙子に連組加工をやらせてみたいという計画やったのだす。こないいうと、わてはいつも仕事中心にものを考え、裙子を利用したみたいに聞えますねんけど、実際はそうやおまへん。

お恥ずかしいですけど、わてはもう、どないしてでも裙子を欲しいと思い始めたんだす。わての心のなかで、わてと裙子はいつも一対として考えられるのですけど、美しゅうて欠けるところのない裙子と、醜うて取り柄のないわてとは比較にもならへんのだす。しかし、それだけに、そんな絶望があるだけに、なお、なお、裙子が欲しいなってくるのだした。

さっきわては、裙子が美しいだけやったら自分の対象として考えなんだ、いいまし

てねんけど、よう考えてみると、そんなことはどうでもええことだした。裙子が真珠を好きであろうとなかろうと、やっぱりわては裙子を欲しがった思います。逆にいうて、裙子を迎えるために、こんな仕事の計画をととのえたといわれてもほんまでしたやろな。

北川への技術導入は、以前から少しは考えてました。組合で得た知識と経験、業者とのつながりなどを利用してこの北川真珠を盛りたててみたい気はありました。裙子が現れてから、この計画は俄に具体化し、それを実行するためにわては奔走しました。裙子のあとを追うて四国へ渡り、高知からバスで宇佐という町へ訪ねていったのだした。途中、ひょっと裙子に断られたらどないしよう、思う心配で気分も落着かしまへん。裙子がどうしても嫌やいうたら、真珠貝飼うてる土佐の海へ飛込んで死んだろかと、しんけんに考えたりもしたのだす。わてらしゅうもないことでっけど、ほんま、そう思いつめてましたな。

もし裙子が得られなんだときは、仕事の計画も一切崩れてしまう上に、又あの果てものう味気ない、独りの暮らしを維持するための、きびしい自分への戒め(いまし)を守らんならんのだす。一人で暮らさんならんと決心してたときにはそう苦痛でもなかったのに、裙子に会うてからというものは、わては一人の味気なさがやりきれんほどにも思い始めてました。

しかし、裙子はわてがぽかんとしてしまう位、簡単に承知してくれたんだす。これにはわての方が心配して、

「そやけど、わてとこんな仕事続けていくとなると、ひょっとお嫁にもいかれへんかもわかりまへんで」

というと、裙子はあっさりと、

「お嫁になんて、行こうとも思うてませんから」

という答えだした。

わても変わってますやろけど、裙子も何や変わってますやろ？

そや、変わってるというよりも、真珠のために献身することを、裙子はとても喜ばしゅう思うてるのだした。結婚の幸福など、裙子は思うてもみませなんだやろ。真珠に漬かり、そのなかで生きていくことこそ、裙子にとっての一番大きな生きることの意味でしたやろ。

それは、わてにとって都合のええことではありましたけど、のちには却ってわてを苦しめる原因ともなってきたのだす……

ともかく、わては裙子のこの答えを喜び、その晩の船ですぐ三重へ発ちました。技術者は養殖現場では一番大切な役割ですよって、どこの事業所でも引抜きを極度に警戒してるのだす。しかも、三重は二木本の伝統のある土地ですさかい、わても覚悟は

してました。

しかし、実際に、英虞、的矢、五ケ所湾あたりを当たってみて、そのむずかしさに驚きましてん。てこでも技術者は貸さへんのだす。

わてはしかし、諦めしめへんでした。一旦大阪へ引返して、二木本はんに会いに行ったのだす。二木本はんかてもとをいえばわてと同じ貧乏人の生れ、うどん屋の息子はんでっしゃろ。狭い日本で将来性のあるこの企業を、なわばり争いするときやない、優秀な技術もってるひとは日本のあらゆる漁場開拓して、その技術を植えつけるべきやという理屈をわかってくれへん筈はない、という確信をもちました。

わては、二木本はんにぶちまけました。もう二木本はんの助けをかりてやる以外には方法はなかったのだす。

二木本はんは、わてのいい分を快う聞いてくれはりました。その結果、二人の珠入れ工と、海事部の経験者とを年期つきで北川真珠へ貸してくれはったんだす。

今思うと、当時の状況にあって、至難ともいえるこないなわざを、ようなし遂げた思います。これもやっぱり裙子と一緒に暮らしたいという欲望がわてをこない熱心に動かしたのですやろ、と思います。もし、裙子が居らなんだら、この計画は挫折してたかもしれへんと思うのだす。

立地条件のええところへ加えての技術導入で、昭和十二年ごろから、北川真珠は続

けざまにえぇ珠出しはじめました。業者が多うて、密殖の傾向がみえる三重よりも、浦の内は新漁場で質のええもんでしたさかい、このころの日本の養殖真珠は、事実上北川の珠が代表してました。戦後、養殖が盛んになり、技術がさらに進んだ今でも、この頃の北川真珠のような、色も光沢(てり)も巻きも申し分ないという珠は、もうめったにお目にかかることはできなくなりました。

　それほどみごとな珠を量産してたのだす。

　この頃だしたな。裙子が「虹珠」を選びだしたんは。

もちろん、浜揚げしたときから、その珠は値うちしてました。三年巻きの無疵のもんばっかりを、神戸の真珠センターへ出すために集めてたのの中から、

「あった！」

　と裙子がとんきょうな声を出して、取上げた五分玉がそれだす。

「これや！　これやで、おさとはん。うちが長年探し求めてた珠や。虹いろをした珠や。これ、うちらの記念にとっとこやないか」

　とはしゃいで、えらい喜びようやったんだす。

　はりまや橋の小売店につとめてたとき、天然真珠の大きなのを見て、その美しさが忘れられへんいうてましして、虹のようやったなあ、七いろに光ってなあ、と遠い目え

して、今でもときどきいうてやったんだす。

この珠をわてらの宝にしてとっとくのは賛成だした。裙子のいい出しで、「虹珠」と名付けて居間にかざることになりましてん……

「大体、今まで、真珠屋にええ珠おいてなかったというがまちがいや」

「紺屋(こうや)の白袴(しろばかま)やな」

「しかも、北川真珠やいうのが嬉しいやないか」

「そうや。何もかも適(お)うてる」

と二、三日は子供みたいに大騒ぎして、飾り場所のことでけんかしたり、飾り台の布を元町まで買いに出かけたりしました。

この頃は何もかも申し分のう幸福だした。わてももう組合やめて、半分は北川真珠を助け、半分は売買もして、一ぱしの業者になってたし、裙子は北川のええ珠よりどりで、気に入った連がなんぼでも組めていたのだした。

そやよって、ふたりの上に破局なぞくる筈もないと信じて、疑うこともありませなんだ。虹珠のことかて、これはふたりのものや思うてますから、わてが虹珠に触れるのを裙子が嫌がっても、べつに気にもとめてなんだんどす。

裙子は、虹珠がみつかってからというものは、しごと以外の時間には必ずというてええ位、虹珠を磨いてました。

いつか一緒に風呂に入ったとき、わてがさきに上ろうとしてひょいと湯殿の棚をみると、石けん箱の中で虹珠が光ってるやおまへんか。

「裙子、これ、虹珠やないか」

わてが驚いて問うと、

「そうや。虹珠や」

と平気な答えだす。

「虹珠やいうて、平気な顔してたらあかんやないか。どないしたんや。こんなところへもってきて」

「風呂に入れてるのだす。珠も暑いときには汗かきますよってにな」

そして、湯煙の巻いているなかで、振りかえってわてにいいました。

「普通の真珠はな、中の核が白ですやろ？　この虹珠の核は黒でっせ。その黒もどろどろして動いているのやで。その、動いているものは何やしらんけど、まめに洗うたり、拭いたりしてやらんと、珠の外側へかげりになって出てくることがありますのや。おさとはん、あんたにはこないなこと、わかりまへんやろ？　うちにはちゃあんとわかってるのだっせ」

わては、それを聞いて思わず倒れそうになりました。それで、わてが虹珠にさわったら嫌がるわけがわかったような気がしたのだす……

わてはこないな人間ですよって、正直いうて男いうものに興味もったことは一度かてありませなんだ。自分の対象とするには、あまりにも共通性をもちすぎてて、惹かれるものが少なかったせいですやろか。

わてはそやよって、不具かもしれまへん。そういわれても仕方ない、とわては思うてます。しかし、裙子は違います。女として完全やし、欠けたものは何一つあれしめへん。

そやさかい、裙子と出会いし、裙子を欲しいと思うた時、わては裙子に恋人が居らへんやろかという疑いをもちました。美しい裙子に似合うた、男らしい恋人が居るという想像はむしろ当然でさえあったんだす。

ところが裙子には恋人の一人も居らしめへんでした。その後、わてとの長い生活のあいだも、恋人どころか、男いうもんに興味を示したことは一度かてあらへなんだのだす。

これは、ほんまの話だす。

わてはこれを嬉しいことにも思い、こわいことにも思いました。わてと同じ不具ものやろかと疑うてみると、そんなふしぶしもないことはない……しかし、それはわてにとって、気の遠くなるくらい、かなしい想像だした。裙子は完全な女で無うてはならんし、女として、わてとつながってて欲しいのだす。裙子が不具ものでない証しに、

いっそ男狂いして欲しい……と思いもし、そないなことしたら、わての方が気が狂うてしまう……と思いもします。しかし、裙子が恋人をもたへんということは、わてによって女の本能が充たされているということやないやろか、と嬉しい想像もする傍ら、裙子の相手として、あまりに似つかわしゅうない自分を卑(いやし)んだりもします。思いみだれて、わけがわからんようなった果ては、ともあれ、こないして仲よう暮らしてるのやから、悪うかんぐらん方がええと自分を慰めてるのだした。

それにしても、裙子はわてに対してあまりに淡泊で、それが、わてにとってはいかにもの足りなかった……燃えることがなく、沸(たぎ)ることもなかった……裙子はひょっと、激情いうもんがない人間かもしれへん、と思い思いしてたやさき、この風呂場での裙子のことばだした。

わてはこのときから、虹珠に対してある特別な感情をもつようになったんだす。嫉妬かもしれまへん。おそらくそうやろと思います。わてにも見せへん裙子のはげしい愛は、虹珠とだけしか通じんもんだす。

わてにはそれが、羨(うらやま)しゅうて、嫉(ねた)ましゅうて、かなわん日もおました。珠を相手に人間なみの感情のやりとりをするのはけったいなことやと思わはりますやろ。わてかて、あほらしと打ち消しながらも、いつのまにか、虹珠とわてとは裙子をなかにしてはじき合っているのだす。

裙子の寵をうけて、鈍い光を放ち乍ら、落着き払っている虹珠をみると、わては裙子にさえ腹立たしゅうなってくるのんだした。何で生きた人間相手にせえへんのやろと思い、いっそ若い男を選んでくれた方がどんなにかわてのこころの負担が軽くてすんだやろうに、とできもせえへんこと思います。そのくせわての苦しさは、虹珠を捨ててしまうこともならんし、傷つけることもしてはならんということだした。ときに、裙子にこの苦しさぶちまけたろかと決心してても、何とか胸さすって我慢できたのは、わて自身を珠盗っ人やと蔑み、裙子を真珠の化身やと崇めてた、わての強い深い裙子への愛着やったと思うのだす……

——この頃、裙子はもう「裙子連」のつなぎ手として、世界市場にその名を知られるほどになってましたんだす。

三

この節は、この三宮にもわてらのような商売しやはるおひとはぎょうさん増えました。戦後のブームに乗って儲けなはったおひともおります。儲けよと思うんなら、思うだけ儲かった時節も実際におました。そのおひとたちのなかには、わてら以上に金に飽かせて立派なお家建てなはったひともいやはります。お家だけやなく、近代的な設備を整えた工場を建て、大量加工してはるひともおます。

それやのに、わてらが戦時中に建てたこの古い家を、「真珠の家」と一般に呼ばはるのは何故でっしゃろか？　勿論、「裙子連」の裙子が住んでるから、そう呼んだとはいえますけど、その他に、この家の変わった間取りや、供養塔のあることなどから、自然にそう呼ばせたということもいえますやろ。

家は、そうやなあ、普請始めたのは昭和十六年の秋やったと思います。わては、裙子と一緒に暮らし始めるとすぐ、裙子のために立派な仕事場建ててやりたい念願をもってましてねんけど、それがやっと六年目に実現したわけだす。

わての大胆な珠の買付けは、「裙子連」を手許にもっていたから出来たことといえますし、それによって商売も繁昌しましたさかい、この家はわてと裙子の汗の結晶ということもいえる思います。これはいわいでものことだすけど、ええ仕事場建ててやりたいというわての念願は、それによって裙子によけい仕事をさせようとか、よけい儲けたろとかいう魂胆やないこと、あんさんはわかってくれはりますやろな？　世界の「裙子連」をつなぐ裙子にふさわしい仕事場でしごとして欲しいという一心からだした。

最初、土地はどこにしよう、どこにしようと迷った末、裙子はいつものように、

「ああめんどくさ。うちはどこでもええわ」

と放り出してしまいましてんわ。結局、わてが頭ひねって考えましたのが、ほれ、

裙子と最初に逢うた、あの東亜ホテルのとなりの土地だした。三宮の山元通りだす。後ろに山を負うて、前にすぐ海を抱いてる、空気のええ場所やし、外人のよう出入りするホテルの隣やのも便利だした。

この頃、わてはもうかなりお金はこしらえてましたんだす。恰度(ちょうど)、戦争が起って、真珠業はさきゆきの見通しもたたん頃でした。金持ってたって、仕事の上でどれだけ投資できるもんやわからしまへん。そやよって、わてらは家に金かけてみようと思い立ったんだす。

設計は今はもう亡くなられた木沢はんというベテランにお頼みしたんだすが、わてらの好みを充分に生かしたい、いわはって、たびたびうちへお運び下さったんだす。

わてらの欲しいのは、安らぎと憩いの場所である、「家」やありませなんだ。あくまでも仕事中心の、作りでのうてはかなわんのだす。裙子いうたら、おかしなことに土地買いのときにはあんなに知らん顔してたくせに、間取りや何かの設計にはえろう熱心やったんだっせ。

或る朝、わてが客間でバイヤーさんと商売の話してましたとき、いきなり裙子が駆けこんできて、

「おさとはん、うちの仕事場これや。断然これに決めたで」

と差出したのをみると、雑誌に出てた西洋中世の豪華な貴族の部屋の口絵写真だし

た。

わてはバイヤーさんの前も忘れて、ヘエーッと大きな声出してしまいましてんわ。

いったい裙子は何考えてるのやろ？　何から思いついて、こんなことになったんやろ思いました。それに、わては、自分ながらこの真珠の仕事をすることのわきまえをもってます。

かつて、天然真珠は、神のみの知る神秘な、高貴な珠として、庶民はかいまみることも許されなんだものだす。それを二木本はんは人間の造り得る珠として、下界におろしてしまわれた、わてらは更にもっともっと庶民に愛されるものとしてこれを拡めてゆきたい、いう望みと使命とをもってるのだす。

わてらが少々金をこしらえたかて、奢れるというものやないのだす。真珠屋には真珠屋のいましめがある……これは、真珠革命ともいうべき偉業を成し遂げた二木本はんの意志やと思います。

こんなことがわからへん裙子やないのに、あのロココ風な部屋飾りは、仕事場とどんなに結びついたのやろ、これは是非裙子にたださんならんことや思いました。

いつも寝床に入ると、わては新聞を読みふけり、裙子は呆んやりしてるうちさきに寝入ってしまう習慣になってるのだすけど、この晩ばかりは、わては新聞をおしやり、裙子にむかっていいました。

「なあ裙子、聞いてや。わてらは真珠のおかげでこない金儲けさせてもろたなあ。女の細腕で、家一軒建つようにもなったのや。そやけどなあ裙子、わては商売人としての節度を守りたい思うのや。そら裙子がお城建てて欲しいならお城も建ててやりたいし、御殿建てたいなら、金のある限り、それも実現させてやりたい思うねん。しかしやな。その前に、わてらは北川はんの意志を継いでるいうことも忘れたらあかんのやないか。

二木本はんは貧乏人でも持てるように真珠をみんなのものにしてくれはったし、北川はんは、その又真珠作りが誰でもできる仕事やいうことを証明してくれはった。わてらは北川はんの後継いで、分をわきまえた商売人でいたいねん。金、惜しむのやないで。シャンデリヤぶらさげるよりは、もっと分相応な設計ができへんもんやろか思うけど、どないやろ」

わてがこないいうと、枕に頭をつけて寝てた裙子の目えから、不意につーっと大きな涙が枕カバーへおちました。

「今日見せたあの写真を、うちの奢りやと思うか？　おさとはんは」

裙子は、起上ってわてをにらみました。

「あんたとうちとこない一緒に暮らしはじめてもう五年以上もたつのに、うちという

人間をあんたはちっともわかってへんのやな」

　裙子ははがゆそうに身をよじっていうのだす。

「あんたは、あんたは、うちをちっともわかってえへん。うちはこの世の中のもの、何にも欲しいないねん。真珠だけが欲しいねん。

　そやよって、真珠をつなぐにふさわしい仕事場ずっと考えてて、つまり決まったのがあれやってん。うちは贅沢でいうのやないで。うちは贅沢は何にもせんでええのや。

　真珠のため、真珠のためにあれがええのや。うち、口下手で、うまいこといえへんし、あんたは商売人やさかい、うちの気持がようわからへんの。連のことは、誰にもわからへん」

　裙子はしゃべってるうちに、自分でだんだん興奮してきて、目のまわりがお酒に酔うたように赤らんできました。

「そうか。そやけどなあ。どうして、あんたあんな外国の建物思いついたのや」

　とわてがいうなり、裙子は蒲団をのりこえてわてにむしゃぶりついてきましてんわ。

　ぶよぶよした指でわてを締めあげ、自分も泣き声出しながら、

「このあほう。何にもわかってへんのやな。このあほう」

　ぎゅんぎゅんゆすぶるのだす。大けな図体してる裙子がおもってるさかい、わては苦しいなって、

「やめてんか、苦しい。やめてんか。こらっ」

と叫びましてんわ。裙子はようよう手をゆるめて、

「そんなら、あんなふうに建てるか？」

いいますねん。わては裙子のこんな乱れたさまを初めて見る驚きで胸がどきどきしてましたもんやさかい、

「建てるわそら。裙子のええようにしい」

いうてしまいました。

「そうか」

いうなり裙子は手をゆるめて、

「うちな。あれ建てられへんようなら、仕事すっぱりやめたろ、思うてたのやで」

と、思いつめた瞳がやわらこうなって、

「今夜、あんたと一緒に寝よ」

と枕を寄せてきましてん。

躰を添えてきた裙子の胴のくびれに、わては手をおいてみて、びっくりしました。とても人間の躰や思えんほど、冷えてるのだす。

「わっ、つめた！」

手を離すと、わての掌をまた自分の胴の上において、

「うち、いつもこれや。海の底の貝から生れたのですよってに寝てにな」

と笑を浮べていうなり、もうけろりとして目えつむって寝てしまいましてんわ。

わての方は眠るどころやあれしめへん。初めて見た裙子の狂態と、わけわからんのにとうとう承知させられてしもうた、あの中世ロココ風の設計が気になってかないませなんだ。

裙子の発想はいったいなにからやろか？　それはあんなに子供みたいにわてに取りすがって承知させんならんほど強いものやろか？

しかし、これはわてにはわからへんことだした。真珠が、裙子のからだのなかで何を母体にして生れ、どんなふうに育ってるのか、わてには想像もつかしめへん。

わてらが考えてる、「裙子にふさわしい仕事場」とは、もっと日本的な――それはむしろ古代に近いほどの――神聖な細工場だす。どない考えても、豪華な彫刻や、しゃれた壁飾りのある西洋ふうのものとはつながれしめへん。それに、裙子はいわゆるハイカラな女やのうて、好みかて生活様式かてすべて日本の女の範疇を出てしめへん。

こない考えると、「誰にもわからへん」という裙子の言葉がズバリわてを指してるように思われます。どうせ、わてのわからへん世界で、裙子は真珠とだけ固く結びついているのやと、ひがみももち、焦れっとうもなるのだす。わてにはわからへんのやから、裙子と争うて、その計画に反対してもわてにいい分はあるのですけど、やっぱ

り心の隅では裙子の思う通りにした方がええとなだめる気持もあるのんだした。

それというのも、嫉ましゅう思いながらもわての心の中に「裙子連」は絶対的な力をもって君臨しているせいだす。ロココ風な建築と連とは、わての心の中でどうしても結びつかなんだとしても、連をつなぐ裙子がいい出した限りにおいて、わては口をはさむ余地はないというものだした。

このことを木沢はんに相談すると、木沢はんは大して驚きもせず、

「それぞれ好みがおますさかいな、結構だす」

いわはって、写真のような部屋の建築を研究してくれはりました。

やがて、出来上った設計図見ると、それは三階建てになってましてん。木沢はんは、

「この部屋の調子が他の日本間とは違いますよって、いろいろやりましてねんけど、結局、こないした方が一番ええのや思います」

という説明だした。

わても三階建ては名案や思いました。どうせこれから他の連組の常員さんも増やさんなりまへんし、そうなると同じ二階で仕事場並べるとちぐはぐな感じですやろ。裙子のためにも、三階で一人仕事する方がええと思いました。設計図見せると、

「ふん」

と、うなずいたなりだしたけど、わてには裙子が満足してることがようわかりまし

た。

工事にかかってのち、わりと日数をとりました。戦争中で資材不足でしたやろ。それを無理してええ木口揃えますもんですさかい、床の間の柱一つにしても二カ月も待たんならんこともおました。

それが、一つ一つ仕上っていって、もう間もなく全体が完成する頃になって、又裙子が無理なことをいいだしたんです。

わては、家建てる一寸前から北川真珠へ資本入れてたこと、前にちらと申しましたやろ。北川はんの奥さんもだんだん年とりなさるし、あととりの嬢はんも、真珠屋は嫌やいわはって、お医者はんの養子はん迎えはったんだす。

そやさかい、わてがもう浦の内を引受けるのは順になってました。そこで、わては一切買いとり、浜揚げの珠を浦の内で選別せず、全部ここへ持ちこむことになりました。

これは、どういうことや思います?

屑珠もうちで処理せんならんことになったということだっせ。屑珠は普通、業者の申し合わせで、海へほかすことになってました。屑珠やいうて、安うにバラ撒くと、真珠の値うちが下りますよって、人目につかんように海の底へ帰してやることだす。

わてらが考えると、これは屑珠に対する最高の礼儀やと思います。海のものやから、海へ帰してやるのが本当やし不具ものに生れたから、人目につかんようにこんな配慮してやるのは、親切というもんだした。

ところが、裙子は海へほかしたらあかん、というてきかんのだす。

青魚たちのなぶりものにされる、といい、

「うちの目の届かんところでするのやったら知らんことやけど、ここで選別して、神戸の海へほかすやいうこと、反対や。絶対許さへん」

と怒り、

「お墓作ろ」

というていい出したのが、あの供養塔だす。しかも、家の中の、自分の仕事場へ建てるというのだす。

これには、わても少し気味悪うおもいました。そのくせ、いい出したらきかん裙子の性分やから、注文通りにさせられるやろ、という諦めもありました。わてにしたら、仕事場かて裙子の思い通りさせたのやから、今更、供養塔くらいで機嫌を損じとうはない、という気持やったのだす。

しかし、これにはお勝手のばあやさんが嫌がって、

「それだけはやめはったらどうどす？　供養塔うちの中へ建てたいう話なんぞ、この

年になってるわてでさえ、聞いたことあれしめへん。そんな、縁起でもないもん家の中へ作らはったら、きっと凶いことがおこりますで」

別に角立てていうたんやないのに、裙子いうたら、

「ええわ。放っといてえな。うちのやることに何にも干渉せんかてええ」

と子供のような一途さで、

「普通のお家かて仏壇ありますやないか。お線香上げて供養してるやおまへんか。真珠のこと、わてが供養して何が悪いの？」

と、つっかかるのだす。この頑固さにはばあやも呆れはてて、

「情のないおひとや」

といいいし、わてが止めるのもきかず、とうとう、ひまとって出ていったのだす。

わては裙子のこんな強情さが、人から離れさせることについて、困ったことやと思う反面、ひそかにそれを喜ぶ気持もありました。裙子が周囲から孤立することによって、わてをより強う意識してくれるやろ、という望みなんだす。それによって、わてにより強うよりかかって欲しいという希いなんだす。

それに、裙子はめったと意志を表わさんのに、一旦いい出したらあとへ引かんという意地をもっているのだす。そやさかい、ばあやをやめさせてまでも供養塔建てんならんという裙子の言葉は、わてにとってもう絶対の命令に近い価値をもってました。

石は土佐の青石をとりよせました。三階の仕事場に出窓を作り、高さ五十糎ほどの石塔を、同じ青石の台座の上に立てました。台座は中央を抉りぬき、屑珠入れの凹みを作ったのだす。凹みの蓋には厚いガラス板をつかいました。

ガラス板を透して下をのぞくと、屑珠のあらゆる色が交りあい、暗い凹みでりん光のような青づいた光を放っているのだす。それは、きらびやか、というには程遠い、沈んだ光の集積だした。やはり、珠として用いられず、虚しゅうほかされる真珠たちの宿命に似た、かなしい光やと思います。

それだけに、背筋の凍りつくような、冷たい美しさだした。それを見てると、わてはふと、裙子が死んだらこの凹みのなかへ入ってしまうのやないやろか思いました。ひょっと裙子は、自分の墓として作ったんやないやろか思いました。

そんなに思うと同時に、これはわての思いすごしであってほしいという打消しもあるのだす。

あとから考えると、この供養塔作ったことから、裙子には「狂い」みたいなものが生れたんやないですやろか。ばあやのいうたように、家の中に供養塔立てることは凶いことを呼びおこすことやったかもしれません。

しかし、もしそうとわかっていたとしても、裙子の強い願いを斥けてしまうのは、

わてにはできしまへん。かりにできたとしても、別のかたちで、それが裙子に悪い影響もたらしてきたように思うのだす。こない考えると、裙子は結局、自分自身の力で運命を導いていったといえますやろ。おとなしいに見えて、裙子の意志のちからは強いもんだしたな。

こないいうのはとても気障でっけど、わては生涯でたったひとり、裙子だけを愛しました。惚れてた、といういい方でもよろしおす。一緒に暮らしているのに、ふと裙子が居らんようになったらどうしよう？　思うたら、わてはもう目の先が真暗になるような気がする程、わて一人では不安だした。わてが裙子を好きやったのは、男が女に惚れてる、というようなものとは、ちょっと違います。男女の愛情というものは、どんなに強い激しいものでも、ある「不安」を孕んでいるものですやろ。それは、男と女の肉体的な違いから生じる隙間でっさかい、避けることのできへんものや思います。

わてらは、どんな場合でも二人で同時に存在し得るという可能性がありました。男の或る部分が女を拒否するとか、女の或る部分が男を拒否するとかいう矛盾はわてらにはありまへん。この世に在る限り、二人は一分一厘の喰違いもなく理解し合える、それはわてらだけや、という誇りをもってたんだす。

わてらは、こんな話を二人でしたことはかつて一度もありませなんだ。話すどころか、若い頃はお互いにてれくそうて、話が愛情のことに及んでくると、そらし、そらし、してたもんでした。

人がよう、

「おさとはんが旦さんで、裙子はんが奥さんだっか。こらのみのご夫婦でんな」

などと冗談いうと、わてはてれかくしに大笑いし、裙子はそっぽむいて、とりあわんようにしてたもんだした。

しかし、年齢とはおそろしいもんで、わても五十の声を聞くようになると、二人限りの時には、おりおり、

「裙子、あんたもわての女房役で、とうとう年とってしもうたな。可哀想に」

「そうや。あんたみたいな我儘な旦さんに仕えてる女房役の苦労は、並大抵やおまへんで。そやさかい、この頃、うちはよけい老けてんわ。何とか償いしいな」

などと、ふざけたりするようにもなりました。

しかし、わてがこない愛してるように、裙子もわてを愛してくれたやろか？　という疑問に対して、確かな答えはわて自身から出しようもありませなんだ。荒くれ男相手に三十年余りも商売してきたわてにしてはえらい弱気な、とあんさんも思わはりますやろな。けど、裙子に関する限り、わては強気になれるときはありませなんだ。そ

れどころか、ときどきひどい劣等感にさえおそわれてたのだす。

　わてと同じ位強い愛情を持って欲しいと裙子に押しつけるのは無理やと思うても、裙子の態度でわては喜んだり悲しんだりしているのだっせ……

　思えば長い生涯、男やとみられてたわての方が、裙子よりもはるかに細かい感情の浮沈みを経験したと思います。わての対象が、裙子という生きた人間やったのに引きかえ、裙子は、一生珠相手だした。一徹で、利かん気で、めったと喜怒哀楽を表わさん習慣も、裙子は真珠から教えられた、ものや思います。

　考えれば、わての愛情はほんまに虚しいものだけやったかもしれまへんのだすな。

　しかし、あんさん、そんなこととは別に、この家も、三階の仕事場も、供養塔も、何もかも、裙子によう似合うてたと思いまへんか？　長い歳月のあいだに、裙子の匂いやくせや、その執念までが、この家に独特の雰囲気を作りました。

　わても裙子もその中にとけこみ、この真珠の家で二人一緒に年老(としと)っていこう、思うてましたのに、思いがけものう、わてはこない一人ぼっちにされてしまいましたんだす。

　一人になると、二人で暮らした歳月の重さいうものが急におしよせてきて、わてはいま戸惑うたような気持だす。

これはいったい、供養塔のせいですやろか？ それとも、虹珠のせいですやろか？

四

家も供養塔も出来上ると、間ものう戦争が激しゅうなりました。神戸から三宮へ移ると、連組工を女の子ばかり三人常雇いにしたんだすけど、珠の選別教えただけで、もうやめてもらわんならんようになりました。

たしか昭和十七年でしたな。東京空襲のあったんは。そのあと、産業統制法やいうもんも出されたりして、わてらの業者は、平和産業である真珠業を続けていくことがかなわん状態になりました。

勿論、一番のお得意さんのアメリカと戦争始めたときから、先の望みないと見越して、かきの養殖に切替えられたひともおりますし、自分も工員も兵隊にとられてしもうて、自然に閉めた所もおました。昭和十八年までの存続者いうたら、女の工員が多いところか、老人のやってたところ位のものでしたやろな。その残ってたものも、大阪の堂島ビルに集まって、水盃で別れたんだす。

わても、浦の内を閉めました。

しかし、閉めたというても、ぴたっとやめるわけにはいかしまへん。二年、三年と仕込んだ貝があるし、人に知れんように細々とつづけていくいう程度でした。

この戦争中、裙子はひっそりと暮らしました。もともと、仕事さえしてたら、何にも文句のないひとでしたけど、食べる物も着る物も、日に日に乏しゅうなっていくなかで、不平ひとつ洩らさへんのだす。

　家の中にあるものを食べ、あるものを着ました。そして、量が減ったとはいうものの、家にはまだまだ真珠は置いてありました。

　それを、来る日も来る日も、黙って選ってはつなぎ、選ってはつなぎしてたように思います。

　わての嬉しかったんは、こんな明日知れん日の繰返しの中で、裙子は「わてらは一体この先どうなるのやろ」という不安を、ただの一度も口に出さなんだことでした。

　わてら二人は、真珠産業というもんがやまってしもうたら、これはほんまにお手上げだす。真珠しか生きていく術（すべ）がない、ということは、先行（さきゆき）のわからへん戦争中にあって、えらい不安どした。ことに裙子は、真珠を取上げられたら、生きてる意味も無いというてええくらいなもんだす。

　戦争中のことですさかい、他の仕事いうても、軍需産業しかあれしめへん。そんなものへ転向して、裙子の技術無くしてしまうよりは、食べれるだけこの儘で食べて、細々ながらでも浦の内を守っていきたいという決意を、ふたりながらもってはいまし

た。

わてはしかし、こんな心細さ、こんな迷いを、裙子と肩寄せ合うて慰め合うのは嫌いなたちだす。裙子に相談しても何にもならへんし、何にもならへんものやったら、裙子かて相談せられん方がよかったですやろ。

そやよって、わては一切黙ってましたし、泣き言もいわなんだつもりだす。実際、又、泣き言いうヒマもないくらい忙しゅうはおました。空襲の合間ぬうて、浦の内へ行かんならんし、食糧の買出しに、山の中へも行かんなりまへん。戦争にとられた組合員のご家族の相談にも乗ってやらんならんし、ええ真珠の疎開もせんなりまへん。時間的にいうたら、むしろ戦争中の方がよう働きましたやろな。

それだけに、裙子と接触する時間が少のうなってしまい、二人の間に「荒れ」ができたんやないかと思います。裙子の不安や動揺をちょっとでも少のうするために、わてがいつもよりはよけい傍に居てやりゃよかったかもしれまへん。

しかし、この頃は、じっと二人で向かい合ってることは心理的に少々辛うおました。裙子も苦しいやろな、と思い、裙子も又、おさとはんムリしてるのやな、と思うてる、と思いますやろ。それが、わてには響くのだす。

裙子の指先の荒れかて、こんな時節やからわては気をつかいます。炊事はわてが一切引受け、裙子に水を使わさんように仕向けてるのに、裙子は裙子で、外も内もやっ

てるわてを見かねて、こっそりさつまいもの皮をむいてたり、南瓜（かぼちゃ）切ってたりするのだす。わてはわてで、そんなことをする裙子に腹立てたりもします。しかし、二人とも何にも話さしめへんのだっせ。

こないな習慣は積重なり、わてらは戦争前のように、何でも話しあうようなことが無うなってきました。むろん、戦争が終ってもこの習慣はもとへ戻らしめへん。わてらは二人でいても、用件だけしか話さへんようになってしまいましたんだす。

これはしかし、何もわてら二人だけとは限ってえしめへんやろ。戦争というものは、どんな形にしろ、あらゆる人間関係に悪い影響をもたらすものと違いまっか。

わてらは、別に肉親を戦争にとられたわけやなし、家も焼かれなんだし、形の上では何等被害を受けてないように見えますやろ。しかし、一番この戦争を憎う思うてるのは、わてかもしれへんと思うときもあるのだっせ。若（も）し、この戦争がなかったら、わてらの距離は縮まってたやろし、心理的なお互いのこんな萎縮はおそらくなかったですやろ。

思いかえしてもせんない事でっけど、今の辛さ思うたら、いっそあの時二人とも直撃弾でも受けて死んでたらよかった、とこないにも思われるのだす……

戦後は、真珠界も賑やかになりましたなあ。ついこないだも組合の会して調べたん

っせ。

どすけど、昭和二年に四十軒しかなかった業者が、この節は三千軒にもなってるのだ

戦前は揚子江のドブ貝を加工して核にしてたのも、戦後お国の方針が変わると、ミシシッピ川やアマゾン川のドブ貝を輸入し始め、戦前貝釦(かいボタン)などやってた業者が、さいの目に切って加工し、核を作るのんだす。こんな核加工や、稚貝の養殖者などどんどん増えましてん。外国からのバイヤーさんも、戦前にも増して、買いにみえます。

わての家も又、連組工を入れ、事務員も雇いました。二階を仕事場にしてましたさかい、多いときには十五、六人も居ましたやろか。勿論、「裙子連」には及びもつかしまへんのでっけど、わての家の常員さんは、裙子に似て仕事は叮嚀(ていねい)どす。

いいえ、あんさん。裙子は決して連組については人に教えしめへんのだっせ。外国のバイヤーさんは、戦前の「裙子連」を欲しがってなんぼでも見えはりまっけど、裙子はとてもそれに追付く程の速さやあれしめへん。

そういうてお断りしても、「裙子連」の家なら、きっと小売りにええ連ができる筈やから頒けて欲しいいわはるのだす。そやよって、なるべく多くつないだらと思うて、裙子に、

「ちっと教えてやってんか」

と頼むと、

「あかん、こら教えてわかるもんやあれへん」

とり合うてくれへんのだす。そして、二階の仕事場に人の出入りがはげしゅうなっても、やっぱり三階へ上って、ひっそりと自分ひとり仕事してるのだした。

そのくせ、若い子らのつないだ連をけなすことは痛烈で、どんな連を見せても、

「てんでなってえへん。こないてんでばらばらにつないだら、珠が泣くわ」

素人が見たら、サイズもよう揃うて、うまくつなげてると思う連でも、そばへ「裙子連」を並べると、ぐっと見劣りがするのだした。

わては、もう大分前から裙子の目えの悪うなったこと、知ってました。

去年の夏やった、思います。仕事了えて下りてくる階段から足踏外してでーんと落ちたことがおました。あんまり大きな音がしたよって、走り寄っていったお勝手のおふみはんに裙子は、

「こない暗うなってるのに、灯りをつけとかんかいな、危ないやないか」

と叱ったんやそうだす。夏のことで、夕方やいうてもまだ明るうて、灯りをつける時刻やないのに、とおふみはんがわてに話したとき、思いあたることがおました。

それは、裙子が仕事を了えて休む一階の縁側に籐の椅子を置いてあるのんでっけど、その椅子に腰下ろして、三宮の海を眺めるその角度がこの頃、少しずつ変わってきて

るのんだす。

もともと、裙子の目は、まつ毛が濃く、長うて、それが真直ぐに伸びてるのだす。若い時には、そのまつ毛に黒々と張りがあって、何ともいえん翳りをつくってましてんが、年をとってくると、それが魔性的な、気味悪さになってたようだす。

この家は坂に建ててありますよって、一階でもかなり高い位置にあり、一目で三宮あたりの海が見下ろせました。ここの籐椅子でお茶でも飲み乍らその海を見るのは、裙子にとって一番気分のくつろいだ時らしゅうて、顔つきも何やしらん和んでみえました。

その裙子がいつからか、

「海が眩しいて、かなわんわ」

といいだし、椅子を斜めに向けてたのを、わては不思議なことやと思うてたんだした。

成程、陽のきらめいている海を見ることは、わてらかて眩しいおます。しかし、裙子は、朝陽も夕陽もない、鈍い静かな海の面を見てさえ、そないいうて、背を向けてたんだす。

その頃から、だんだん視力が衰え始めてたんですやろ。若い時には、見開いたら人があっと息を呑む程、黒々と冴えてたその目を、いつの間にか、伏し目にばかりして

ました。眩しかったんやろ思います。

裙子には、年齢の話するのは鬼門だした。たしかわてより五つ下や思うてましたから、わてが五十になったとき、裙子も五十になったら何か祝うたろ思うて問うたら、

「年齢のこと、いいないな。いくつでもええやないか。うちには年齢はないさかい、二度と問うたら、怒るで」

とやられましたから、それ以来、わても再び口にもしめへんだした。

こんなでしたさかい、「老眼鏡でもかけたらどうや」ということ、気安ういえしめへん。医者へ一度行ったらええのになあ、とわても心の中で思いながら、其儘にしたのはわるかった、思います。

それに、わてはこの年齢になっても、不思議と視力の方は何ともあれしめへん。耳の方は時により、ふっと小さな音を捉えられんような鈍さになりましてねんけど、明るいところなら、まだこれで新聞も充分読めるのだす。わてはしかし、裙子にすすめる意味でわて自身眼鏡をつかってみようと思いました。それと無う、わてが眼鏡をかけてたら、裙子も関心が湧いて、「ちょっと貸してんか」というかもしれへん。そないな猿智恵も浮んだりしたんだす。

しかし、裙子の視力は、日を追うて衰えていくみたいに思われました。

第一、連つなぎがどだいはかどらへんのだす。自信の強い裙子でっさかい、へたな

ものは寄越さしめへん。一日一連がやっと、という日が暫く続いて、この夏ごろからぴたっと出なくなったんだす。

しかし、この一日一連という日々は、大へんなことでしたやろ思います。殆ど指先の感覚を頼りに、一つの無駄珠もなし仕上げるのは、到底人間業とは思われしめへん。そのために裙子は全精力を集注し、血の出るほどの努力を払ったのやと思います。いや、努力いうほどの生やさしいものやなく、文字通り、闘いというものやったやろ思います。真珠と、裙子との熾烈な、激烈な、闘いだした。

わてはこの頃の連を、いつも一連、一連、鄭重に箱に納めました。わてにも決して話さへん裙子の苦しさを、この連だけはように知ってるのだす。たとえどんな理由で他の「裙子連」を失うことがあっても、この頃の連だけはどうしても手離すことはできんと思いつめてるわての気持、おわかりですやろ。

これは裙子のいのちだした。

いま、箱からとり出して眺めると、鬼気、というにふさわしい裙子の執念が、珠と珠のあいだから立昇ってくるような気がします。……気のせいやなく……

わては焦りました。どないしてでも癒さんならんと気が急いて、そのくせ頑なで融通性のない裙子に話をどうもちかけていこうかと心を砕きました。

「医者へ行かんか」

と誘うて、ぴしゃり断られたら、もう二度とその手が利かなくなるのだす。

裙子の「嫌」はにべも無うて、どんなものも寄せつけん強さがありました。

わての心配をよそに、裙子はそれでも毎日決まったように仕事場へ上っては行きますのだっせ。そして、夕方には又、一人で居間まで下りてくるのだした。それは、今までの裙子とちっとも変わった姿やありませなんだよって、目のことはわて以外に誰も気がついてへなんだと思います。

裙子は目の悪うなったことを人に知られるのを何よりもこわがってた思います。年齢やから、目も薄うなるのは当たり前やし、養殖場の珠入れ工にしても、連組工にしても、四十歳あたりまでが限界やということを、裙子は知らんはずはないのだす。

こんなことを考えてると、わてははっとあることに突きあたりました。若い時は、見えすぎる程、よう見えてた目を、裙子は自分の武器やと思い、真珠たちから与えられた特権のように振舞ってましたな。

これはもう、裙子の躰のなかで、信仰に近いものになってました。目は、裙子にとって、真珠と裙子をつなぐ、唯一の「路」ともいえるものやったかもしれまへん。いえ、そうやったんだす。裙子はそう思いこんでいたんだす。

そやよって、人に知られるのをおそれ、何よりも恥ずかしがったのですやろ。裙子にしてみると、目を失うことは、その生涯を捧げた真珠たちから、拒まれることだし

た。真珠の世界とのきびしい断絶を意味するものだした。

こんな裙子が、なんで医者へ行ったり、眼鏡をかけたりできますやろ。わてが眼鏡を買うて誘い水むけよとしたとて、何で裙子がそれに乗りますやろ。

一カ月ほど前、わてはこっそり三階へ上ってみました。もう夏からこっち、裙子のことが頭を離れず、機会があれば、どないしてでも話し合おうと狙ってたんだす。

わてとしては、裙子はもうここらで連通しやめてもろた方がええ、とこない思うてました。肉体の衰えも考えず、執念を燃やし続ける裙子の姿は、もう老いの境に足を踏入れたわての目には、いたましいものとしてうつったんだす。

三十何年、真珠のために働き続けてきたのやさかい、もう楽してもええという老いの気のゆるみは、わての方へさきにきてたかもしれまへん。

そして、裙子のあとをつけて三階へ上ったわては、そこに、わての思うてた通りの裙子を見ました。

あの、青石の供養塔に裙子は一心に祈ってたんだす。目が見えんようになったんは、真珠に罰をあてられたと思いこんでる、ひたぶるな裙子の姿だした……

その夜、縁側の椅子にかけてたとき、裙子の方からいいだしました。

「おさとはん。聞いて貰いたい話、あるねん」

「わかってる。目えのことやろ?」

「目え？　目えがどないしました？」

わてはそれ聞いて、カッとなりましてん。

「裙子、ええ加減にしい。あんた、去年ごろから、もう目が悪うなってるのやろ？　なぜ、そんなに白ばくれるのや。なぜわてにいわんのや。年齢とって、目が悪うなるのがそんなに恥ずかしいことか！」

裙子は聞くなりふるえ出し、持ってた湯呑茶碗を庭へむかって叩きつけました。清水焼きの茶碗が、金属的な音をたてて、うしろの山へこだましましてん。

裙子はヒステリックに叫びました。

「うちの目えのことは、あんたには関係ないことや。ごたごたいわんといてえな。あんたは、あんたは、うちがこんな目えになって、もう仕事ができへんと思うてるのやな。軽蔑してるのやな。ほんまにうちが仕事がでけへんようになったか、見とってくれやす」

いうなり裙子は身をひるがえして三階に上っていこうとするのだす。見えん目で気だけあせってるもんでっさかい、柱や襖にえらい音たててつきあたります。

そのいたましい姿見て、わては後から走ってって裙子にむしゃぶりつきました。

「裙子のあほう」

力一杯、ビンタを張りましてん。

した。
　裙子は大きな声を上げてその場に泣伏しました。わてもその上に折重なって泣きま
した。
　裙子、なんでわてにあっさり打明けてくれへんねん？　なんであんたはそない頑固
やねん？　なんでわての気持がわかってくれへんねん……

　しかし、その夜から、裙子は全然、口もきかへんようになってしまいました。朝も
差しむかいで一言も口をきかず、こぼし、こぼしして朝飯を終ると、休みもせんと、
すぐ三階へ上ります。夜も、七時、八時まで三階に灯りもつけんと居て、ことことと
手さぐりで階段を下りてくるのんだす。
　寝室のなかでも、すぐ寝たふりをして向こうむいてるのんだすけど、わてには裙子
が寝てへんことちゃんとわかってました。
　裙子のこの頃の顔つきは一層けわしゅうなってきたようだしたな。やせて、青白い
肌が、透けるようになって、それが幽かなりん光を含んでるように覚えるときもある
のんだす。そうや、まるで供養塔のなかの屑珠の光が、その肌を掩っているような感
じだした。
　それに、目の見えん人特有の、空ろな目のつかい方して、じっと一点をみつめたり
します。その目が、ふっと視線を移すときなどの妖しさは、長年一緒につれ添うてき

たわてでさえ、裙子はもはや常にも人間やないという気がしてくるのだした。それは、あの、若い日、仕事場で見た、人間ばなれした感じとはちがい、抜け殻みたような、透き通ったような、かなしさをもっているものだした……

それから三日目ぐらいでしたやろか。

わてはもう堪えられんようなって、七時頃、三階へ上ってみました。むろん、灯りもつけてしめへん。中に裙子が居るとわかってても、そこはもう人の気配もない静かさのなかに、静まりかえってました。

わてはわざと大きな声で、

「裙子！」

と呼んで、ドアを開けた途端、ぞーっとしましてんわ。

あの供養塔の凹みが、闇のなかで人魂みたいに青い光をぼやっと放っているのだす。

裙子は、マホガニーの仕事机の前に、黒い影のようにじっと坐ってました。

灯りをつけてから、わてはわざと朗らかに、

「どないしたんや。はよ、下りて来て御飯にしょやないか」

と誘うと、裙子はびっくりしたぐらいやさしい調子で、わてに話しかけるのだす。

「おさとはん。うち、こないだなあ。あんたに話があるいうてたやろ。あれは、あの供養塔のことやってん。

あないむき出しにしてると、此の頃何やしらん誰ぞにみつめられてるようで落着かんのや。出窓にしてあるさかい、戸ができますやろ？　ガラス戸でええから、戸をつけてくれへんか」

「そら、お安い御用や。明日にでも大工に来てもらお。さ、階下へいこ」

わてにとって、この部屋の闇は冥路（よみじ）のように不吉に思えました。こんななかへ裙子をおくと、そのまま冥路へ連れていかれそうな、不安とおびえがあって、わてはいっときも早う、裙子を明るいところへ連出したい思いました。

裙子の脇の下へ手をいれ、

「さ、いこ」

と立たせようとしましてねんけど、裙子はわての手を振払い、立たしめへんのだす。

空ろな目を供養塔の光の方へ向け、うす笑いしながら、

「ここに居ると、ええ気分や。なあおさとはん。うちの目えがこないなったのは何故か知ってるか？

これはなあ。真珠の光沢（てり）にあてられたのやで。うちが長い間、珠の内側の光沢を見抜くことばっかりしてたやろ。他の人間にでけへんことをうちがやるさかい、真珠に

罰あてられたんや。

夜、寝てると、あの虹珠が、うちの目えの上にどかっと載るのだっせ。それが重うて、重うて……」

裙子はとても素直だした。こない素直な裙子を、わては今まで見たことがありませなんだ。

ひょっと裙子は、わての気持を今こそ本当に受取ってくれたのかもしれへん、と思いました。ものもいわず、意志もない、一つの物体にすぎない真珠が、どれほど裙子の頼りになれるものか、裙子は思い知ったのやろと思いました。その虚しさが、裙子と真珠とを断切ってしまうほどのものであって欲しい、と、わては若い日に、それがために惹かれていたことも忘れ果てて、そう願いました。そして裙子は、ふだんやったら、眉つりあげて怒りかかるやろと思われる、

「連通しはもうやめて、ちょっとは休養しいいな」

というわてのすすめにも、おとなしくふん、とうなずいたのだす。

わては思わず涙ぐんで、そんな裙子の肩を抱いてやりました。このぶんなら、目の
治療に通うてくれるかもしれへんという望みも湧きました。

わてらには、又若い日の二人のように、張りのある、楽しい日が戻ってくると思われました。そして、その夜は、久しぶりに、ほんまに何年かぶりに、和やかな夕食を

しましたことか……

その翌る朝だす。

裙子が死んでたのは。

しかも口の中に含んだ虹珠を、真二つに嚙割って……

わてがよう気をつけてたら、この二日ほど前から居間の棚にかざってあった虹珠が無うなってたことがわかった筈やのに、裙子にばかり気をとられてて、それには気がつかなんだんだす。

それは——裙子が虹珠と一緒に死ぬ——ということだした。おそらく裙子は、死を決意したときから、虹珠を仕事場に連れてゆき、相向かいおうて、いくときもすごしたことでしたやろ。

それに気がつかなんだわては、ほんまに裙子を解ってなんだ、といわれても仕方ないと思うてます。「あんたにはわからへん」と、怒ったらよう口にしてた裙子の言葉は、ほんまやった、といま、ようわかってきたのだす。

裙子は真珠に奪られてしもうたんです。

真珠に、奪われてしもうたんだす……

そして、わての懸念してたように、あの供養塔の凹みの中に、真珠として昇天してしもうたんです……

わては、二十六年のあいだ、裙子の現身(うつそみ)と共に起伏しました。できるかぎり、くっついて暮らしました。それやのに、それやのに、裙子のこころは、わてのものやあらへんかったんだす。

わては、裙子のなきがらをゆさぶって泣きました。わがままいうてた唇も、そのために死に追込んだ大きい目も、もう、黒い死の世界に塗りこめられて、わての泣き声にも、何の反応も示さしめへん。

それでもわては、裙子の冷とうなった頬っぺたを張ってやりました。ふやけたように柔らかいその指先を、揉(も)んで揉んで、揉みくちゃにしてやりました。悲しいというよりか、わてはむしょうに裙子が腹立たしかった。

わての今日まで生続けてきた意味を、裙子は非情にも自分から断切ってしまいましたさかい……

裙子は何という冷酷な子ですやろ……

何という横着な子ですやろ……

裙子のあほう、裙子のあほう、とけんかのたびに口にしてた言葉を繰返し乍ら、わ

ては裙子のなきがらを抱きつづけました。このまま死ねるものやったら、わても一緒に死んでしまいたい……あの世へ行っても、裙子はまだ、真珠を追いかけ、わては裙子を追いかけるのかもしれへんですのに……

そうだす。よう考えてみれば、裙子の死はわてに対する答えでした。わてが長い間、疑いつづけてきた裙子の愛情というものに対する正確な答えやったんだす。

裙子にとっては、人間世界の愛情やいうのは、全く無意味なものでしかあれしませんでした。まして女同士の契りなぞ、裙子の死にどれほどの役を果たしましたやろ。死んでいく裙子にとって、わてというものはおそらく考えの外にあったのとちがいますやろか。

しかし、そういう裙子かて、永遠に尽きることのない愛の憧憬のなかに身をおいて、それで満たされた、というもんやないと思います。

裙子をこの仕事にいざなうきっかけになった、おふくろさんの「本真珠」は、意外と、ガラス玉に太刀魚のうろこを張った、模造やったかもしれしめへん。ガラス玉に誘われ、それがために命まで落した裙子は、アコヤ貝が、白い核を抱きつづけるように、錯覚と齟齬の世界で苦しみ、のたうちまわったことですやろ。

はかない、といえば裙子ほどはかないものはなく、虚しいといえば、裙子ほど虚しいものはなかったと思うのだす。

化身ということばのように、現身の束の間に、裙子のいのちは燃尽きてしまいました。

虹珠のことでっか？　裙子は嚙割った半分を、歯の内側に含んでました。あとの半分は、理屈からいうたら外側へはねとぶ筈やいうのんで、わては裙子が首くった三階の仕事場を、くまなく探しましてねんけど、みつけることはできませなんだ。わての想像では、おそらく胃のなかへ呑みくだしたやろ思います……

京都の有名な真珠の研究者は、「人間の力で真珠を嚙割るなど、到底考えられないことだ」と新聞に談話をのせてはりましたけど、わては裙子やったからできたと思います。

お棺のなかの裙子はきれえだしたえ……

真珠とばっかり向きあってたら、こないな輝きが、顔にも躰にもにじみ出てくるもんですやろか……

裙子の額の生えぎわに、ちらほら見えはじめた白髪(しらが)をかくすためにも、わては供養塔のなかの屑珠を、みなお棺のなかに入れてやりました。

お棺のなかでも、無心にきらめきつづける真珠にかこまれて、裙子の目はひょっと

又、もと通りの光をとり戻すかもしれへん。
……わては裙子のために、そない希(ねご)うてるのだす……

解説

水上勉

この本は宮尾登美子さんの初期短篇の集成である。発表順にいえば、「連」「夜汽車」「卯の花くたし」「影絵」であるが、婦人公論女流新人賞を得た「連」が一九六二年十月で「影絵」が七八年の『すばる』だから、約十六年間の短篇だ。十六年間に四篇とは少ないともいえるが、じつは、宮尾さんは、これらの短篇を発表しながら、世評高い「櫂」「陽暉楼」「寒椿」などの長篇をこつこつと書いておられたわけである。脂ののり切ったその仕事ぶりは、長篇にあたえられた、太宰治賞、女流文学賞などで証され、さらに「一絃の琴」で直木賞を得て、いわゆる宮尾文学の世界といっていいものが、定着している。さらに私は、「岩伍覚え書」を加えて、宮尾さんがいかに息のながい長篇作家であるか、ということを、多数の読者とともに認める者の一人だけれど、こんど、この四つの短篇を再読してみて、いずれも、本領の長篇小説と主題もかかわっていて、たとえていえば、重量のある長篇を彫りこみながら、手許に落ちた破片を拾って磨きあげたともいえる作品で、同体の枝というにしては勿体ない、本幹

の肉片といっていい。大樹の身がけずられて、さしだされた趣を感じた。

宮尾さんは、已れの出自と、已れをとりまく血縁者、とりわけてご両親とのかかわりをしつように文学にとりこんで、ひたすら、そこに宮尾流の語り芸をなし得ているのだが、「連」は先ずその芸の先駆的な役割りだったかと思われる。真珠の虹珠にとりつかれた連師が、珠の化身のような短かい生を終えるという筋書きを、もう一人の女に語らせて、連師とその語り役がかもしだす不思議な絆を妖しく表現しようとするのである。じつは、発表された当時も感じたことだが、宮尾さんは谷崎潤一郎の初期作品に傾倒されたことがあるのではないか、という思いだった。谷崎文学の妖美な世界の語りくちは、後進の現代作家にも、いろいろ影響をあたえているわけだが、「連」にはそれがあって、必ずしも、宮尾さんにその創造世界が充分発揮されたかというと、多少の弱さはあるとしても、六二年にすでに宮尾さんは、この作品で、已れの方向をさしだしている。そのゆえに、「連」は重要な位置を占めると思われるのである。

「夜汽車」は七四年の作だが、私はこの作品が好きである。たぶん、宮尾さんご自身にちがいない主人公（じつはそうでないかもしれないが、そうであってもいいし、そうでなくてもいい）がまだ高校生だったころに、高知から大阪まで、主人公の父母のなりわいを手つだって、飛田遊廓へ売られてゆくふたりの娼妓をつれて夜汽車にのる、その途中の景色や思い入れを書いたものだが、「連」とちがって、ここには今日の宮

尾さんの語り芸が完全している。

「露子と呼ばれた妓はその名の儚さに似合わず、たった今鍬を置いて野良から上って来たような、陽灼けした皮膚に猪首差し肩O脚の如何にも頑丈な躰つきで、里子はその露子をすべて裏返しに掛けたように、繊細い長い首と乾いた白い肌がいたいたしげにさえ見える。二人は、この頃呉服屋に行けば衣料切符で買える混紡の銘仙の一反を半分ずつ分けたのか、濃緑に朱のこまかい縞を同じ型のワンピースに仕立てて着ていて、足許もまたお揃いの籐表の草履を穿き、露子のほうは肉厚の足指がつんと先まで入らないと見え、踵を大きく後ろに余らせているのであった。

　靫子が二人に笑いかけたとき、里子は受けて、陥ちた頬をちらと緩ませたように見えたが、露子はふいと横を向き、俯いて大きなトランクの把手に縛りつけてある風呂敷包みの結び目をなおしている」

　宮尾さんの描写の確かさは、その眼のおきどころの確かさなのだが、ここには、高校生の靫子をもからめて、立場のちがった三人の女を、夜汽車にとじこめて大阪へ走らせる、作者の冷徹な芸がある。三人とも生々と息づいて、そのけしきが見えるようだった。

「卯の花くたし」は、「夜汽車」と素材を一にする世界であるが、満州（現、中国東北部）から高知にきて、家を借りて長滞在し、土地の芸娼妓の周旋業者とむすび、娘

たちを大陸へ送る男が、まだ磨きもかけられていない山だしの少女を家に傭い入れ、不思議な同居生活をする経過を、少女の眼から描く作品だ。これも、好短篇といえて、宮尾さんの語り口の妙がたんのうできるのである。

「影絵」は、大連で芸妓をしていてミス大連にまでなった姉が、得体のしれない男といっしょになって、天津にゆくが到着したらしいその日に急病にかかって死亡する。そういう薄幸な姉にまつわる妹を主人公にして、細々と洋裁をしながら母とくらす高知の家へ、姉とかかわった得体の知れぬ男が登場する話である。ここにも宮尾さんのたぶん身近かに見聞されたにちがいない（いや、ひょっとしたらみな、つくり話かもしれぬ。それはそれでどっちでもいいのだ）人物たちが躍如としており、不思議な一家の女系像があぶりだされて興味をそそる。

ざっと、この四篇を以上のように読み終えたのであるが、ここで、宮尾登美子という作家が、いかに高知にこだわり、芸娼妓周旋業の家業にからみついて、ぬきさしならぬ人間業苦を描くことに脂汗をながしておられるかが判然するのである。「連」にはまだ、この家業がのぞいてこぬけれど、「夜汽車」から「岩伍覚え書」にいたる諸短篇は、すべて、この家業にまつわる男女の業を、どのように描こうかと、ためつすがめつする宮尾さんの芸の業を見せているのである。宮尾さんの出自と、そのご両親、（といっても、実母、養母がおられた）そして、父君のなりわいが芸娼妓周旋だった

ことは、「浮き沈み五十年」（「女のあしあと」所収）にくわしく語られているが、この作家が、自己の血脈からながれる血汗を掌にためて、文学の世界で独自の塗り絵ともいうべき語り芸を展開する姿は、日本文壇でも、男性作家もあまりなし得なかった営為である。作家でなくても人にとってその出自は運命的なものであるけれど、作家はその運命をバネとして「ことば」を創造する業を背負うのであるとすれば、宮尾登美子の登場は、正しく、そういう文学の正統的な流れの中にあって、これらの短篇と先にのべた五つの長篇は、彼女の確かな存在をしめしているといえる。

「一絃の琴」が直木賞を得た時、私は、この作品の方法が、たとえていえば、連の珠がえらばれて糸につながって輪をなすような、息のながい語り口だと気づいた。時にはその長舌に圧倒されて頁をおいて一服したが、最後にきて、主人公の人生が、完全に語られつくす妙に舌をまいた。「櫂」にもそれがあったと思う。「櫂」は「夜汽車」や「卯の花くたし」にも顔をみせる母君を材料とされていると思えるのだが、第一回の冒頭ちかくだったか、（いま手許にないのでそこをはっきりいえぬが）楊梅（やまもも）を売りにくる商人がいて、主人公の指だったか、商人の指だったかが、果（み）から出る汁にそまる、何げない描写が、私の眼を刺すように光って、そのけしきが強烈だったことを告白する。

四つの短篇に、このようなけしきをさがすとすれば、諸所にそれはあって、先に

「夜汽車」で抜粋した描写の、売られてゆくふたりの娼妓らが着ていたワンピースの柄や、籐表のそろいの草履もそれである。「一絃の琴」ではたぶん宮尾さんは棺の肌ざわりまで書いていたと記憶する。

宮尾さんはあくまで描写を、語りのなかにとりこんで、ことばのかもし出す芸にうきみをやつす側の作家だと思われる。芸妓周旋といえば、現代人の眼からすれば、ひとことつけ足さねばならぬ家業である。ご本人の出自にかかわれば尚更のことである。あるいは人権の問題とからめれば、大論文も出来ようし、その背景となる満州侵略の軍閥横行の時代は、これまた、物のいいようによっては、大問題をかかえている時期なのであるが、宮尾さんは、そういう国の不幸だった時代を、ひとりの娼妓が籐表の草履に、拇指（おやゆび）をちぢこめて穿いて、歩くけしきの中に閉じこめて語ろうとするのだ。そういう決意を示すかに思わせるのが、この四つの短篇の読みどころといっていいかもしれない。

男性作家よりも女流作家の活躍がめざましい時代だ、という人もいるが、私は宮尾登美子の一見古風に見せかけて、今日語りつづけねばならぬとする独自の美意識と、人間業苦の塗り絵に感銘し畏敬をもつ男性のひとりである。

（この作品は一九七八年六月、筑摩書房より刊行された。）

集英社文庫　目録（日本文学）

峰隆一郎　斬刃　人斬り弥介その五
峰隆一郎　非情の牙　人斬り弥介その六
峰隆一郎　埋蔵金の罠　人斬り弥介その七
峰隆一郎　殺刃　人斬り弥介その八
峰隆一郎　密書　新・人斬り弥介
峰隆一郎　凶賊　新・人斬り弥介
峰隆一郎　狼たち　新・人斬り弥介
峰隆一郎　白蛇　新・人斬り弥介
峰隆一郎　暗殺　新・人斬り弥介
峰隆一郎　牙と芽　新・人斬り弥介
宮内美沙子　看護病棟24時
宮尾登美子　岩伍覚え書
宮尾登美子　影絵
宮尾登美子　朱夏(上)(下)
宮城まり子　ともだち・ねむの木そして私(一)
宮城まり子　ともだち・ねむの木そして私(二)
宮城まり子　ともだち・ねむの木そして私(三)
宮子あずさ　こんな私が看護婦してる
宮迫千鶴　超少女へ
宮沢賢治　銀河鉄道の夜
宮沢賢治　注文の多い料理店
宮嶋康彦　さくら路
宮原昭夫　まがりかど
宮原昭夫　駆け落ち
宮原昭夫　海のロシナンテ
宮本美智子　マイ・ニューヨーク・フレンズ
宮脇俊三　鉄道旅行のたのしみ
三好徹　海の沈黙
三好徹　野望の猟犬
三好徹　雀鬼
三好徹　遙かなる男
三好徹　禁じられた華壇
三好徹　光と影
三好徹　総会屋志願
三好徹　幻の美女
三好徹　投機
三好徹　小説総会屋
三好徹　商戦
三好徹　海外駐在員
三好徹　狼たちの戦場
三好徹　密会の夜
三好徹　戦士たちの休息(上)
三好徹　戦士たちの休息(下)
三好徹　生けるものは銀
三好徹　興亡と夢(全五巻)
三好徹　天使シリーズ①　汚れた天使
三好徹　天使シリーズ②　天使の裁き
三好徹　天使シリーズ③　天使の弔鐘

集英社文庫 目録（日本文学）

三好徹	天使シリーズ④ 黒い天使
三好徹	天使シリーズ⑤ 天使と匕首
三好徹	天使シリーズ⑥ 天使の復讐
三好徹	テロリスト伝説
三好徹	犯罪ストリート
三好徹	戦士の賦(上)(下)
三好徹	青雲を行く(上)(下)
三好徹	愛と死の空路
三好徹	貴族の娘
武者小路実篤	友情・初恋
村上龍	だいじょうぶマイ・フレンド
村上龍	テニスボーイの憂鬱(上)(下)
村上龍	ニューヨーク・シティ・マラソン
村上龍	シナリオ ラッフルズホテル
村上龍	69 sixty nine
村上龍	村上龍料理小説集
村上龍	ラッフルズホテル
村上龍	すべての男は消耗品である
村上龍	コックサッカーブルース
村上龍	龍言飛語
村上龍	エクスタシー
村上龍	昭和歌謡大全集
村松友視	男はみんなプロレスラー
村松友視	薔薇のつぼみ
村松友視	野郎どもと女たち
村山由佳	天使の卵 エンジェルス・エッグ
村山由佳	BAD KIDS
村山由佳	もう一度デジャ・ヴ
群ようこ	トラちゃん
群ようこ	姉の結婚
群ようこ	でも女
タカコ・H・メロジー	やっぱりイタリア
モア・リポート班編	モア・リポート —女たちの生と性—
モア・リポート班編	モア・リポート —新しいセクシュアリティを求めて—
モア・リポート班編	モア・リポートNOW① 性を語る—33人の女性の現実
モア・リポート班編	モア・リポートNOW② 女と男—愛とセックスの関係
モア・リポート班編	モア・リポートNOW③ からだと性の大百科
森詠	オサムの朝(あした)
森川那智子	みんな、やせることに失敗している
森田功	やぶ医者の一言
森村誠一	魔性ホテル
森村誠一	失われた岩壁
森村誠一	死の軌跡
森村誠一	地屍
森村誠一	社鬼
森村誠一	駅
森村誠一	街
森村誠一	未踏峰(上)(下)

集英社文庫 目録（日本文学）

森村誠一　星のふる里
森村誠一　雲海の鯱
森村誠一　うぐいす殺人事件
森村誠一　魔犬
森村誠一　赤い蜂は帰った
森村誠一　吉良忠臣蔵(上)(下)
森鷗外　舞姫
森鷗外　高瀬舟
森瑤子　情事
森瑤子　嫉妬
森瑤子　傷
森瑤子　招かれなかった女たち
森瑤子　熱い風
森瑤子　ジゴロ
森瑤子　夜光虫
森瑤子　女と男

森瑤子　女ざかりの痛み
森瑤子　家族の肖像
森瑤子　叫ぶ私
森瑤子　カナの結婚
森瑤子・亀海昌次　もう一度、オクラホマミクサを踊ろう
森瑤子　男三昧女三昧
森瑤子　誘われて
森瑤子　ハンサムガールズ
森瑤子　ダブルコンチェルト
森瑤子　消えたミステリー
森瑤子　夜の長い叫び(上)(下)
森瑤子・亀海昌次　六本木サイド・バイ・サイド
森瑤子　垂直の街
森瑤子　四つの恋の物語
森瑤子　シナという名の女
森瑤子　人生の贈り物

森瑤子　森瑤子が遺した愛の美学
矢口純　ウイスキー讃歌
矢口純　ワイン・ギャラリー
矢島暎夫　男の子を知る本　まじめなオチンチンの話
柳ジョージ　ランナウェイ
柳澤一博・監修　戦争映画名作選
柳澤一博　歴史は女で作られる　歴史・伝記映画名作選
柳澤一博　知られざる芸術家の肖像　伝記映画を見る
柳田国男　遠野物語
柳田純一　死にかたがわからない
山浦弘靖　火の道連続殺人
山浦弘靖　幻の天都殺人事件
山浦弘靖　旅刑事
山浦弘靖　旅刑事／恋の片道切符
山浦弘靖　阿蘇SL殺人事件
山浦弘靖　殺しのラブ・ソング

集英社文庫

影(かげ)　絵(え)

1981年10月25日　第1刷
1998年3月7日　第33刷

著　者　宮(みや)尾(お)登(と)美(み)子(こ)

発行者　小　島　民　雄

発行所　株式会社　集　英　社
東京都千代田区一ツ橋2—5—10
〒101-8050
電話　東京　(3230) 6100 (編集)
(3230) 6393 (販売)
(3230) 6080 (制作)

印　刷　図書印刷株式会社

落丁・乱丁の本が万一ございましたら、小社制作部宛にお送りください。送料小社負担でお取り替えいたします。

Printed in Japan

ISBN4-08-750460-3 C0193